Sumário

CB137119

TERESA DRAGO

PROJETO E COORDENAÇÃO EDITORIAL: JOSÉ ROBERTO A. IGREJA

Fale Tudo em Italiano em viagens!

UM GUIA COMPLETO PARA COMUNICAÇÃO EM VIAGENS

Veja como acessar o áudio p. 192

7ª REIMPRESSÃO

DISAL EDITORA

© 2011 Teresa Drago e José Roberto A. Igreja

Projeto e coordenação editorial
José Roberto A. Igreja

Preparação de texto
Juliane Kaori / Verba Editorial

Capa e projeto gráfico
Paula Astiz

Editoração eletrônica
Laura Lotufo / Paula Astiz Design

Assistente editorial
Aline Naomi Sassaki

Ilustrações
Carlos Cunha

Fotos de capa
© Corbis/LatinStock

Áudio
Locutores: Fabio Franco de Godoy, Flavio Scarrone, Ornella Accasto Grizante
Produtora: jm produção de áudio

Dados Internacionais de Catalogação na Publicação (CIP)
(Câmara Brasileira do Livro, SP, Brasil)

Drago, Teresa

Fale tudo em italiano em viagens! : um guia completo para comunicação em viagens / Teresa Drago ; projeto e coordenação editorial José Roberto A. Igreja. — Barueri, SP : DISAL, 2011.

ISBN 978-85-7844-071-8

1. Italiano - Vocabulários e manuais de conversação I. Igreja, José Roberto A.. II. Título.

11-00969 CDD-458.2469

Índices para catálogo sistemático:
1. Guia de conversação : Italiano : Linguística 458.2469
2. Italiano : Guia de conversação : Linguística 458.2469

DISAL EDITORA

Todos os direitos reservados em nome de:
Bantim, Canato e Guazzelli Editora Ltda.

Alameda Mamoré 911, sala 107, Alphaville
06454-040, Barueri, SP
Tel. / Fax: (11) 4195-2811
Visite nosso site: www.disaleditora.com.br
Televendas: (11) 3226-3111
Fax gratuito: 0800 7707 105/106
E-mail para pedidos: comercialdisal@disal.com.br

Nenhuma parte desta publicação pode ser reproduzida, arquivada ou transmitida de nenhuma forma ou meio sem permissão expressa e por escrito da Editora.

4. Alimentação 79

5. Atrações Turísticas & Lazer e Diversão 103

6. Fazendo Compras 113

Apresentação

Bem-vindo a ***Fale Tudo em Italiano em Viagens!*** Você tem em mãos um guia útil e prático que vai lhe auxiliar na comunicação em viagens de negócios ou lazer à Itália. O conteúdo deste guia foi cuidadosamente planejado tendo em vista as variadas situações vivenciadas por aqueles que precisam se expressar no idioma italiano em viagens e inclui:

- No aeroporto: fazer o *check-in* e passar pela alfândega.
- No avião: frases usuais da tripulação e dos passageiros.
- Transporte: pegar um táxi, viajar de trem, alugar um carro, no posto de gasolina
- Acomodação, hospedagem e alimentação
- Atrações turísticas, lazer e diversão
- Fazer compras
- Ligações telefônicas
- Saúde e emergências

Perguntas e frases usuais

Seja em hotéis, lojas ou restaurantes, ao conversar com o atendente de *check-in* no aeroporto ou ao alugar um carro, você poderá contar com todas as perguntas e frases recorrentes vivenciadas por um viajante na Itália. Você poderá também ouvir e praticar essas frases e perguntas através do áudio que acompanha o livro.

Diálogos situacionais

Ao longo de ***Fale Tudo em Italiano em Viagens!*** são também apresentados diálogos que retratam situações típicas de turistas em viagem à Itália, e que você poderá também praticar através do uso do áudio. Veja alguns desses diálogos abaixo:

- Fazer o *check-in* no aeroporto
- Alugar um carro
- Pedir indicação de caminho
- Procurar um lugar para comer
- Que lugares devemos visitar?
- Em uma loja de calçados

Vocabulário & expressões em uso

Esta seção apresenta palavras e expressões usuais em frases contextualizadas: uma ótima forma de você aprender e revisar expressões muito úteis para a comunicação durante a sua viagem. Essas palavras e expressões estão agrupadas em categorias como, por exemplo, aeroporto, viagem de carro, compras, lazer e diversão.

Dicas

Fale Tudo em Italiano em Viagens! apresenta também valiosas dicas e informações culturais para os que viajam à Itália. Destacamos entre outras:

- Placas de trânsito comuns na Itália
- Cédulas e moedas utilizadas na Itália e na União Europeia
- Cardápios comuns na Itália

Glossários temáticos

Para garantir a comunicação precisa em cada uma das variadas situações de conversação, você poderá contar também com glossários temáticos apresentados ao longo do livro. Alguns dos tópicos abordados incluem: alimentação, lazer e diversão, lojas e serviços, emergências.

Glossário português-italiano e italiano-português

Além dos glossários temáticos que abordam situações específicas, você encontrará ao final do livro um glossário geral. A procura poderá ser feita a partir do idioma português ou italiano.

Áudio: frases usuais e diálogos situacionais

O áudio (ılıılı) que acompanha o livro é uma valiosa ferramenta que permite a você praticar e melhorar a compreensão auditiva de frases e diálogos usuais. O uso do áudio é também uma ótima forma de se preparar antecipadamente para situações que irá vivenciar, revisando frases e vocabulário indispensáveis à comunicação em italiano durante viagens.

Buon viaggio!

Meus sinceros agradecimentos a:
Alexandre Drago Kail
Flavia Cremaschi
Flavio Scarrone

CAPÍTULO 1
CAPITOLO 1

Primeiros Contatos

Saudações
I saluti

Olá!/Oi!
Ciao!/Salve!*

Como está (você)?/Como vai?
Come stai?/Come va?

Estou bem, obrigado. E você?
Bene grazie. E tu?

Como está [o(a) senhor(a)]?/Como vai?
Come sta?

Estou bem, obrigado. E o(a) senhor(a)?
Bene grazie. E Lei?

Tudo bem.
Non c'è male.

Bom dia!
Buongiorno!/Buon giorno!

Boa tarde!
Buon pomeriggio!

Boa noite!
Buonasera!/Buona sera!

* Ciao é uma saudação informal.

Boa noite!
*Buona notte!**

Muito prazer!
*Piacere!/Molto piacere!/Molto lieto(a)!**

O prazer é meu!
Il piacere è mio!

Despedir-se
Congedarsi

Tchau!
Ciao!

Até logo!
Arrivederci!

Até mais tarde!
A dopo!

Até logo mais!
A presto!

Até já!
A fra poco!

Até amanhã!
A domani!

Te vejo por aí!
Ci si vede!/Ci vediamo!

Depois nos falamos, tchau!
Ci sentiamo dopo, ciao!

Cuide-se!
Stammi bene!

Tenha um ótimo dia, tchau!
Buona giornata, ciao!

Boa noite!
Buona notte!

* Usado ao se retirar à noite ou antes de ir dormir.
* Molto lieto(a) é usado apenas em situações muito formais.

Apresentar-se
Presentarsi

Meu nome é...
Mi chiamo.../Io sono...

Eu sou do Brasil/etc.
Vengo dal Brasile/ecc.

Eu sou brasileiro/etc.
Sono brasiliano/ecc...

Eu nasci no Brasil/etc.
Sono nato in Brasile/ecc.

Eu moro em...
Abito a...

Eu sou professor/advogado/médico/etc.
Sono insegnante/avvocato/medico/ecc.

Tenho trinta e três anos de idade.
Ho trentatré anni.

Sou solteiro.
Sono celibe/scapolo.

Sou solteira.
Sono nubile.

Sou casado(a).
Sono sposato(a).

Pedir informações pessoais
Richiedere informazioni personali

Qual é o seu nome?/Como você se chama?
Il Suo nome?/Come si chiama?

Qual é o seu sobrenome?
Qual è il Suo cognome?

O que o(a) senhor(a) faz?
Che lavoro fa?/Che professione svolge?

Qual a sua ocupação?/O que você faz?
Di che cosa si occupa?

De onde o(a) senhor(a) é?
Di dov'è?

Qual é a sua nacionalidade?
Qual è la Sua nazionalità?

Onde o(a) senhor(a) nasceu?
Dove è nato(a)?

Onde o(a) senhor(a) mora?
Dove abita?

Quantos anos o(a) senhor(a) tem?/Qual a sua idade?
Quanti anni ha?/Qual è la Sua età?

Perguntas e frases úteis
Domande e frasi utili

Quanto custa?
Quanto costa?/Quanto viene?

Quanto tempo leva para chegar lá?
Quanto tempo ci vuole per arrivarci?

Qual é a distância daqui?
Quanto dista da qui?

Há um hotel/albergue da juventude aqui perto?
Cè un hotel/ostello della gioventù da queste parti?

Como faço para chegar a...
Come faccio per arrivare a...

Onde fica a estação de trem/metrô mais próxima?
Dov'è la stazione ferroviaria/della metropolitana più vicina?

Onde posso pegar um táxi, por favor?
Dove posso prendere un taxi, per favore?

Fica longe demais para ir a pé?
È troppo lontano per andarci a piedi?

Onde eu posso... ?
Dove posso... ?

Preciso de...
Ho bisogno di...

Estou procurando.../Procuro...
Sto cercando.../Cerco...

Onde fica o banheiro, por favor?
Dove sono i gabinetti, per favore?/Dov'è la toilette, per favore?

Desculpe-me, não entendo...
Mi scusi, non capisco...

Não falo italiano muito bem...
Non parlo italiano molto bene...

Sou brasileiro(a)/Sou do Brasil.
Sono brasiliano(a)/Vengo dal Brasile.

Expressões usuais
Espressioni usuali

Com licença...
Permesso...

Desculpe!/Perdão!
Scusi!

Obrigado(a)!
Grazie!

Não há de quê!
Prego!/Di niente!

É claro!
Chiaro!/Certo!

Sério?
Davvero?

Não sei...
Non lo so...

Não tenho certeza...
Non ne sono sicuro...

Talvez...
Forse...

Só um minuto, por favor...
Un momento, per favore...

Dialogo 1: Com'è il tempo oggi?

Turista: *Com'è il tempo oggi?*
Reception: *Stamattina era un po' nuvoloso, però adesso c'è sole.*
Turista: *Ma fa abbastanza caldo per nuotare?*

Reception: *Penso di sì, signore. Ma anche se non fa caldo, una delle nostre piscine è riscaldata e Lei ci può nuotare tranquillamente.*
Turista: *Ok, è bene saperlo. Grazie!*

Veja a tradução desse diálogo na p. 141

Falar sobre o tempo
Parlare del tempo

Como está o tempo hoje?
Com'è il tempo oggi?

Está quente/frio.
Fa caldo/freddo.

Está ensolarado.
C'è il sole.

Está nublado.
È nuvoloso/nuvolo.

Está chuvoso.
È piovoso.

Está ventando.
Tira vento.

Está nevando.
Sta nevicando.

Está meio nublado.
È un po' nuvoloso/nuvolo.

Está friozinho.
È freddino.

Está fresco.
È fresco.

Está quente.
Fa caldo.

Está abafado.
È afoso.

Está ameno.
È mite.

Parece que vai chover.
Sembra che pioverà.

Está chovendo.
Sta piovendo.

Está caindo um pé d'água!
Sta diluviando!/Piove a catinelle!/Piove a dirotto!

Está garoando.
Pioviggina/pioviscola.

Está congelante!
Si gela!/Si muore dal freddo!

A temperatura: célsius/centígrados
La temperatura: celsius/centigradi

Está trinta graus célsius/centígrados.
Ci sono trenta gradi celsius/centigradi.

Está muito frio hoje. A temperatura aproximada é de cinco graus.
Oggi fa molto freddo. La temperatura è di circa cinque gradi.

Está quente mesmo hoje. A temperatura é de trinta e cinco graus!
Oggi fa veramente caldo. La temperatura è di trentacinque gradi!

A previsão do tempo
Le previsioni del tempo

Qual é a previsão do tempo para hoje/o fim de semana?
Quali sono le previsioni del tempo per oggi/il fine settimana/il week-end?

Vai fazer calor o dia todo.
Farà caldo tutto il giorno.

Vai chover à tarde.
Nel pomeriggio pioverà.

Parece que teremos um dia ensolarado/chuvoso.
Sembra che la giornata sarà soleggiata/piovosa.

A temperatura está subindo.
La temperatura sta salendo/aumentando.

A temperatura está caindo.
La temperatura sta calando/diminuendo.

Como é o tempo onde você vive/no seu país?
Com'è il clima dove vivi/nel tuo Paese?

Eu vivo em um país tropical, então geralmente faz calor.
Io abito in un Paese tropicale, perciò in genere fa caldo.

Neva no inverno?
D'inverno nevica?

Chove muito no verão?
Piove molto d'estate?

O tempo: como você se sente
Il tempo: come ti senti

Estou com frio.
Ho freddo.

Estou sentindo frio.
Sento freddo.

Estou morrendo de frio.
Muoio dal freddo.

Estou com calor.
Ho caldo.

Estou sentindo calor.
Sento caldo.

Estou derretendo.
Mi sciolgo dal caldo.

Qual é a sua estação do ano preferida?
Qual è la tua stagione preferita?

Prefiro o verão/o inverno/o outono/a primavera.
Preferisco l'estate/l'inverno/l'autunno/la primavera.

Ruídos na comunicação
Problemi di comunicazione

Como? (pedindo para repetir)
Come?

Desculpe, como? (pedindo para repetir)
Mi scusi, come?

Desculpe, você pode repetir, por favor?
Scusa, puoi ripetere, per piacere?

Por favor, o(a) senhor(a) poderia falar devagar?
Per favore, potrebbe parlare più piano?

Desculpe, não entendi...
Scusa, non ho capito...

Você poderia me explicar novamente?
Potresti spiegarmi di nuovo?

Como se chama isto em italiano? (mostrando algo)
Come si chiama questo in italiano?

O(A) senhor(a) poderia escrever para mim, por favor?
Potrebbe scrivere per me, per favore?

Desculpe, não entendo o que você está falando.
Scusa, non capisco cosa dici.

Como se soletra...?
Come si fa lo spelling...?

Você pode soletrar, por favor?
Potresti fare lo spelling, per favore?

O alfabeto: como pronunciar
L'alfabeto: come si pronuncia

Saber pronunciar as letras do alfabeto italiano pode ser bastante útil em uma viagem internacional de turismo ou negócios. É muito comum, por exemplo, ao fazer o *check-in* no aeroporto ou no hotel, ouvir a pergunta *Come si fa lo spelling...?* (Como se soletra...?) para confirmação de nomes, sobrenomes e outras informações. Portanto, não deixe de treinar ouvindo a pronúncia das letras do alfabeto no áudio e aproveite para praticar soletrando as letras de seu nome e sobrenome.

A B C D E F G H I

J K L M N O P Q R

S T U V W X Y Z

Dialogo 2: Può fare lo spelling, per piacere?

Reception: *Qual è il Suo cognome, signore?*
Turista: *Pinheiro.*
Reception: *Può fare lo spelling, per piacere?*
Turista: *Chiaro! P - I - N - H - E - I - R - O.*
Reception: *Perfetto. Signor Pinheiro! Può firmare qui, per favore?*
Turista: *Ok!*
Reception: *Grazie signore. La Sua camera è la 503. Ecco la Sua chiave.*
Turista: *Grazie mille.*
Reception: *Prego signore!*

Veja a tradução desse diálogo na p. 141

DICA 1: COMO SOLETRAR EM ITALIANO
NOTA 1: COME FARE LO SPELLING IN ITALIANO

A *come Ancona*
B *come Bologna (o Bari o Brescia)*
C *come Catania (o Como)*
D *come Domodossola*
E *come Empoli (o Enna)*
F *come Firenze*
G *come Genova*
H *(acca) come Hotel*
I *come Imola*
J *(i lunga) come Jugoslavia (o Juventus)*
K *(kappa) come Koàla (o krapfen)*
L *come Livorno*
M *come Milano*
N *come Napoli*
O *come Otranto*
P *come Palermo (o Padova o Pisa)*
Q *come quaderno*
R *come Roma*
S *come Savona*
T *come Torino (o Taranto)*
U *come Udine*
V *come Venezia (o Verona)*
W *(vi/vu doppia) come Washington (o water)*
X *(ics) come Xanto (o xilofono)*
Y *come York (o yacht)*
Z *come Zara (o Zurigo)*

DIAS DA SEMANA, MESES DO ANO E HORAS
I GIORNI DELLA SETTIMANA, I MESI DELL'ANNO E LE ORE

DIAS DA SEMANA *I giorni della settimana*

Segunda-feira: *lunedì*
Terça-feira: *martedì*
Quarta-feira: *mercoledì*
Quinta-feira: *giovedì*
Sexta-feira: *venerdì*
Sábado: *sabato*
Domingo: *domenica*

MESES DO ANO *I mesi dell'anno*

Janeiro: *gennaio*
Fevereiro: *febbraio*
Março: *marzo*
Abril: *aprile*
Maio: *maggio*
Junho: *giugno*
Julho: *luglio*
Agosto: *agosto*
Setembro: *settembre*
Outubro: *ottobre*
Novembro: *novembre*
Dezembro: *dicembre*

NUMERI ORDINALI

1: *Uno*
2: *Due*
3: *Tre*
4: *Quattro*
5: *Cinque*
6: *Sei*
7: *Sette*
8: *Otto*
9: *Nove*
10: *Dieci*
11: *Undici*
12: *Dodici*
13: *Tredici*
14: *Quattordici*
15: *Quindici*
16: *Sedici*
17: *Diciassette*
18: *Diciotto*
19: *Diciannove*
20: *Venti*
21: *Ventuno*
22: *Ventidue*
23: *Ventitrè*
24: *Ventiquattro*
25: *Venticinque*
26: *Ventisei*
27: *Ventisette*
28: *Ventotto*
29: *Ventinove*
30: *Trenta*
40: *Quaranta*
50: *Cinquanta*
60: *Sessanta*
70: *Settanta*
80: *Ottanta*

NUMERI CARDINALI

1º: *Primo*
2º: *Secondo*
3º: *Terzo*
4º: *Quarto*
5º: *Quinto*
6º: *Sesto*
7º: *Settimo*
8º: *Ottavo*
9º: *Nono*
10º: *Decimo*
11º: *Undicesimo*
12º: *Dodicesimo*
13º: *Tredicesimo*
14º: *Quattordicesimo*
15º: *Quindicesimo*
16º: *Sedicesimo*
17º: *Diciassettesimo*
18º: *Diciottesimo*
19º: *Diciannovesimo*
20º: *Ventesimo*
21º: *Ventunesimo*
22º: *Ventiduesimo*
23º: *Ventitreesimo*
24º: *Ventiquattresimo*
25º: *Venticinquesimo*
26º: *Ventiseiesimo*
27º: *Ventisettesimo*
28º: *Ventottotesimo*
29º: *Ventinovesimo*
30º: *Trentesimo*
40º: *Quanrantesimo*
50º: *Cinquantesimo*
60º: *Sessantesimo*
70º: *Settantesimo*
80º: *Ottantesimo*

90: *Novanta*
100: *Cento*
101: *Centouno*
129: *Centoventinove*
199: *Centonovantanove*
200: *Duecento*
300: *Trecento*

1.000: *Mille*

1.999: *Millenovecentonoventanove*
2.000: *Duemila*
3.000: *Tremila*
9.000: *Novemila*
9.001: *Novemilauno*
9.999: *Novemilanovecentonovantanove*
10.000: *Diecimila*
20.000: *Ventimila*
90.000: *Novantamila*
90.999: *Novantamilanovecentonovantanove*
100.000: *Centomila*
300.000: *Trecentomila*
900.000: *Novecentomila*
999.999: *Novecentonovantanovemilanovecentonovantanove*
1.000.000: *Un milione*
1.000.000.000: *Un miliardo*

90º: *Novantesimo*
100º: *Centesimo*
101º: *Centunesimo*
129º: *Centoventinovesimo*
199º: *Centonovantanovesimo*
200º: *Duecentesimo*
300º: *Trecentesimo*

1.000º: *Millesimo*

1.000.000º: *Milionesimo*

CAPÍTULO 2
CAPITOLO 2

Avião e outros meios de transporte

Dialogo 3: Fare il check-in all'aeroporto

Volo 5105 per Milano, imbarco immediato all'uscita 31...

Addetto al check-in: *Buon giorno, signore. Mi può dare il Suo passaporto e il biglietto, per cortesia?*
Turista: *Certo! Eccoli qua.*
Addetto al check-in: *Grazie. Potrebbe mettere la Sua valigia sulla bilancia?*
Turista: *Ok!*
Addetto al check-in: *Ecco la Sua carta d'imbarco. L'imbarco inizia alle ore 7. Lei deve imbarcare all'uscita 23.*
Turista: *Grazie!*
Addetto al check-in: *Di niente signore! Buon viaggio.*

Veja a tradução desse diálogo na p. 142

No aeroporto: frases do atendente de *check-in*

All'aeroporto: Frasi dell'addetto al check-in

Posso ver seu passaporte e a passagem, por favor?
Posso vedere il Suo passaporto e il biglietto, per favore?

Quantas malas o(a) senhor(a) tem?
Quante valigie ha?

O(A) senhor(a) pode colocar a mala na balança, por favor?
Può mettere la valigia sulla bilancia, per favore?

O senhor(a) tem bagagem de mão?
Ha bagagli a mano?

Sinto muito, mas o(a) senhor(a) terá de pagar pelo excesso de bagagem.
Mi dispiace, ma deve pagare bagaglio in eccesso.

O(A) senhor(a) gostaria de sentar do lado da janela ou do corredor?
Preferisce sedersi vicino al finestrino o al corridoio?

Aqui está o seu cartão de embarque; o embarque é no portão vinte e três.
Ecco la Sua carta d'imbarco; l'imbarco è all'uscita ventitré.

O embarque tem início às sete horas.
L'imbarco inizia alle ore sette.

Sinto muito, o voo está atrasado.
Mi dispiace, il volo è in ritardo.

Sentimos muito, mas o voo foi cancelado.
Siamo spiacenti, ma il volo è stato cancellato.

Muito obrigado. Tenha um bom voo!
Grazie. Buon volo!

No aeroporto: frases do passageiro

All'aeroporto: frasi del passeggero

Você pode me colocar no assento da janela?
Potrebbe assegnarmi un posto vicino al finestrino?

Você pode me colocar no assento do corredor?
Potrebbe assegnarmi un posto vicino al corridoio?

Posso levar esta aqui como bagagem de mão?
Questa, posso portarla come bagaglio a mano?

Quanto é a taxa por excesso de bagagem?
Quant'è la tassa per il bagaglio in eccesso?

A que horas começa o embarque?
A che ora è previsto l'imbarco?

Qual é o portão?
Qual è l'uscita?

Onde fica o portão...?
Dov'è l'uscita...?

Vai haver algum atraso?
È previsto qualche ritardo?

O voo está no horário?
Il volo è in orario?

MEIOS DE TRANSPORTE

No aeroporto: as perguntas do funcionário da alfândega

All'aeroporto: le domande dell'addetto alla dogana

Qual é o motivo da sua visita?
Qual è lo scopo del suo viaggio?

O que você faz?
Che lavoro fa?

Qual é a sua ocupação?
Di che cosa si occupa?

Esta é sua primeira vez em Roma/Milão/etc.?
È la Sua prima volta a Roma/Milano/ecc.?

Posso ver seu passaporte e sua passagem aérea, por favor?
Posso vedere il Suo passaporto e il Suo biglietto, per cortesia?

O(A) senhor(a) está viajando sozinho(a)?
Viaggia da solo(a)?

Quanto tempo pretende ficar?
Quanto tempo intende restare?

Onde o(a) senhor(a) vai ficar?
Dove si sistemerà?

Obrigado. Tenha uma boa estadia!
Grazie e buon soggiorno!

Passar pela alfândega: as respostas do visitante
Alla dogana: le risposte del viaggiatore

Estou aqui a trabalho.
Sono qui per lavoro.

Estou aqui para uma feira/palestra.
Sono qui per una mostra/conferenza.

Eu vim para participar de uma reunião/apresentação.
Sono qui per partecipare ad una riunione/presentazione.

Eu sou estudante / professor(a) / advogado(a) / médico(a) / engenheiro(a)/etc.
Sono studente(ssa)/professore(ssa)/avvocato/medico/ingegnere/ecc.

Estou aqui de férias.
Sono qui in vacanza.

Estou aqui para estudar.
Sono qui per studiare.

Vim visitar um(a) amigo(a).
Sono venuto per visitare un amico/un'amica.

Vim visitar um parente.
Sono venuto per visitare un parente.

Vou ficar duas semanas/dez dias.
Rimango due settimane/dieci giorni.

Estou viajando com meu(minha) amigo(a)/minha família...
Viaggio con il mio amico/la mia amica/la mia famiglia...

Vou ficar no hotel (nome do hotel).
Mi sistemerò all'albergo/hotel (nome dell'albergo/hotel).

No aeroporto: Vocabulário & expressões em uso
All'aeroporto: Vocabolario & espressioni usuali

ALFÂNDEGA: ***dogana***

Adesso dobbiamo passare per la dogana.
Agora precisamos passar pela alfândega.

ARMÁRIO, GUARDA-VOLUMES: ***deposito bagagli***

Lei sa dirmi se c'è un deposito bagagli in questo aeroporto?

O senhor sabe se tem guarda-volumes neste aeroporto?

ATERRISSAR: ***atterrare***

A che ora dobbiamo atterrare?

A que horas devemos aterrissar?

Il volo 7101 ha già atterrato?

O voo 7101 já aterrissou?

ATRASO: ***ritardo***

Non ci sono stati ritardi. Siamo arrivati a Roma puntuali/in orario.

Não houve atrasos. Chegamos a Roma no horário certo.

BAGAGEM: ***bagaglio***

Questo posso portarlo come bagaglio a mano?

Posso levar isto como bagagem de mão?

CARRINHO PARA AS MALAS EM AEROPORTOS: ***carrello***

"Per prendere un carrello c'è bisogno di una moneta di un euro" ha detto Marco agli amici, appena arrivati all'aeroporto.

"Para pegar um carrinho é necessário uma moeda de um euro", disse Marco aos amigos assim que chegaram ao aeroporto.

COMISSÁRIO(A) DE BORDO: ***assistente di volo***

Stefania lavora come assistente di volo presso l'Alitalia.

Stefania trabalha como comissária de bordo na Alitalia.

COMPARTIMENTO/ARMÁRIO SUPERIOR DO AVIÃO: ***compartimento superiore/cappelliera***

Può sistemare il Suo bagaglio a mano nel compartimento superiore/nella cappelliera.

O senhor pode colocar sua bagagem de mão no compartimento superior do avião.

DECOLAR: ***decollare***

L'aereo ha decollato nell'orario previsto?

O avião decolou no horário previsto?

DECOLAGEM: ***decollo***

"Assistenti di volo, preparsi per il decollo!" ha annunciato il comandante.

"Tripulação, preparar para a decolagem!", disse o comandante.

ESCALA: ***scalo***

Non sono previsti scali nel nostro volo per Palermo.

Não há escalas em nosso voo para Palermo.

ESTEIRA: ***nastro***

I bagagli del volo AZ 5237 potranno essere ritirati al nastro 5.

As bagagens do voo AZ 5237 deverão ser retiradas na esteira 5.

ESTICAR AS PERNAS: ***sgranchire le gambe.***

In genere devo alzarmi per sgranchirmi le gambe quando i voli sono lunghi.

Eu normalmente preciso levantar e esticar as pernas durante voos longos.

ESPREGUIÇAR-SE: ***stiracchiarsi***

Devo stiracchiarmi un po', sono seduto da molto tempo.

Preciso me espreguiçar um pouco, estou sentado há muito tempo.

FAZER ESCALA: ***fare scalo***

Il nostro volo deve fare scalo a Venezia per rifornimento.

Nosso voo deve fazer escala em Veneza para reabastecimento.

FUSO HORÁRIO: *fuso orario*

Qual è la differenza di fuso orario tra São Paulo e Roma adesso?

Qual a diferença de fuso horário entre São Paulo e Roma agora?

MEIOS DE TRANSPORTE

LOCAL NO AEROPORTO ONDE OS PASSAGEIROS RETIRAM SUA BAGAGEM: *recupero bagagli*

Dov'è la zona per il recupero bagagli?

Onde fica a área para retirar as malas?

LOJA EM AEROPORTOS QUE VENDEM PRODUTOS MAIS BARATOS PORQUE SÃO ISENTAS DE IMPOSTOS, DUTY-FREE SHOP: *duty free*

"Diamo un'occhiata ai prezzi del duty free", ha detto Lina a suo marito.

"Vamos dar uma olhada nos preços do free shop.", disse Lina ao marido.

MALA: *valigia*

Quante valigie ti occorrono?

De quantas malas você precisa?

PERDER O VOO: *perdere il volo*

È meglio che ti sbrighi se no perdi il tuo volo!

É melhor você se apressar ou vai perder o seu voo!

SENSAÇÃO DE DESCONFORTO APÓS LONGAS VIAGENS DE AVIÃO CAUSADA PELA DIFERENÇA DE FUSO HORÁRIO: *jet lag*

Sono molto fastidiosi gli effetti del jet lag.

São muito desconfortáveis os efeitos do jet lag.

TAXA POR EXCESSO DE BAGAGEM: *tariffa per il bagaglio in eccesso*

Abbiamo dovuto pagare una tassa di venti euro per il bagaglio in eccesso.

Tivemos que pagar vinte euros de taxa por excesso de bagagem.

VENDER UM NÚMERO DE PASSAGENS SUPERIOR AO DE ASSENTOS DISPONÍVEIS: ***overbook***

"Mi dispiace signore, ma il volo è in overbook", ha informato l'addetto al check-in al passeggero.

"Sinto muito, senhor, mas o voo está com overbook", informou o atendente do check-in ao passageiro.

VISTO: ***visto d'entrata***

I cittadini brasiliani non hanno bisogno di visto d'entrata per entrare in Italia.

Cidadãos brasileiros não precisam de visto para entrar na Itália.

VOO DE CONEXÃO: ***collegamento/volo di coincidenza***

A che ora parte il nostro collegamento per Zurigo?

A que horas parte o nosso voo de conexão para Zurique?

VOO LOTADO: ***volo completo***

Dobbiamo prendere il prossimo volo; questo è completo.

Teremos que pegar o próximo voo. Este está lotado.

No avião: as frases da tripulação

In aereo: Frasi dell'equipaggio

Bem-vindos a bordo!

Benvenuti a bordo!

Vamos decolar em breve.

Tra poco decolleremo.

Apertem os cintos, por favor.

Vi preghiamo gentilmente di allacciare le cinture.

Senhores passageiros, lembramos que não é permitido fumar a bordo e que as toaletes são dotadas de detector de fumaça.

Signori passeggeri, vi ricordiamo che non è consentito fumare a bordo e che le toilette sono dotate di rilevatori di fumo.

A bagagem de mão deve ser acomodada no compartimento superior ou embaixo do assento à sua frente.
Il bagaglio a mano deve essere sistemato nella cappelliera o sotto il sedile davanti a voi.

MEIOS DE TRANSPORTE

Por medidas de segurança, mantenham os cintos afivelados durante o voo/quando estiverem sentados.
Per motivi di sicurezza mantenete le cinture allacciate durante il volo/quando siete seduti.

Por favor, mantenham desligados os celulares, laptops e outros equipamentos eletrônicos
Vi preghiamo di spegnere i cellulari, i dispositivi portatili ed gli apparecchi elettronici.

Por favor, permaneçam sentados.
Preghiamo i signori passeggeri di rimare seduti.

Por favor, verifiquem se suas mesinhas estão travadas.
Vi preghiamo di chiudere i vostri tavolini.

Por favor, voltem os encostos para a posição vertical.
Vi chiediamo di riportare lo schienale in posizione verticale.

Tripulação, preparar para a decolagem/aterrissagem.
Assistenti di volo, prepararsi per il decollo/l'atterraggio.

O senhor gostaria de frango ou carne?
Pollo o carne, signore?

Veja *Cardápios*, p. 88 e *Glossário temático 2: Alimentação e bebidas*, p. 96

O que o(a) senhor(a) gostaria de beber?
Da bere signore(a)?

Bom dia a todos, aqui é o comandante falando...
Buongiorno a tutti, qui parla il comandante...

Senhoras e senhores, o comandante avisa que estamos iniciando a descida para o aeroporto de Roma/Milão.
Signore e signori, il comandante avvisa che stiamo iniziando la discesa all'aeroporto di Roma/Milano.

Em alguns minutos vamos aterrissar no Aeroporto Internacional de Roma/Milão/etc.
Fra pochi minuti atterreremo all'Aeroporto Internazionale di Roma/Milano/ecc.

A hora local é 8h17
Sono le 8,17, ora locale.

A temperatura é de 20 graus centígrados.
La temperatura è di 20 gradi centigradi.

Esperamos que o voo tenha sido agradável.
Ci auguriamo che il volo sia stato piacevole.

Agradecemos por terem escolhido a Alitalia e desejamos uma boa estada na Itália.
L'Alitalia vi ringrazia e vi augura un buon soggiorno in Italia.

No avião: as frases do passageiro
In aereo: Frasi del passeggero

Quanto tempo dura o voo?
Quanto dura il volo?

Pode me trazer um copo d'água, por favor?
Per cortesia, vorrei un bicchiere d'acqua.

Você pode me trazer uma coca/um suco de laranja, por favor?
Potrebbe portarmi una coca/un succo d'arancia, per favore?

Você pode me trazer um lenço de papel, por favor?
Potrei avere un fazzoletto di carta, per cortesia?

Está frio demais aqui. Você pode diminuir o ar-condicionado?
Fa troppo freddo qui. Potrebbe alzare la temperatura dell'aria condizionata?

Está quente demais aqui. Você pode aumentar o ar-condicionado?
Fa troppo caldo qui. Potrebbe abbassare la temperatura dell'aria condizionata?

Meu fone de ouvido não está funcionando.
Il mio auricolare non funziona.

Eu poderia trocar de lugar?
Potrei cambiare posto?

Você pode me trazer mais um cobertor/travesseiro, por favor?
Potrebbe portarmi un'altra coperta/un altro cuscino, per favore?

Quanto tempo falta para chegar a Veneza/Bari?
Quanto manca per arrivare a Venezia/Bari?

Qual é a diferença de fuso horário entre São Paulo/Rio e Milão/Roma?
Qual è la differenza di fuso orario tra San Paolo/Rio e Milano/Roma?

Que horas são agora em Roma?
Che ora è adesso a Roma?

Não estou me sentindo muito bem.
Non mi sento molto bene.

Estou com dor de cabeça. Você pode me trazer uma aspirina, por favor?
Ho mal di testa. Potrebbe portarmi un'aspirina, per favore?

Estou me sentindo um pouco tonto(a). Você pode me trazer algum remédio?
Sono un po' intontito(a). Potrebbe portarmi una medicina?

Estou com vontade de vomitar. Você pode me trazer um saquinho para enjoo?
Mi viene da vomitare. Potrebbe portarmi un sacchetto?

Ir do aeroporto ao hotel
Andare dall'aeroporto all'albergo

Como faço para ir ao...?
Come faccio per andare in...?

Você pode me dizer como eu faço para chegar a...?
Potrebbe dirmi come faccio per arrivare a...?

Como faço para ir para a estação ferroviária?
Come faccio per andare alla stazione ferroviaria?

Existe um ônibus que vai para o centro da cidade?
C'è un pullman/una navetta che va in centro?

Qual é a distância?
Quanto è lontano?

Quantos quarteirões daqui?
A quanti isolati da qui?

Dá para chegar lá de ônibus/metrô?
Ci si può arrivare in pullman/metro?

Dá para ir de ônibus?
Ci si può andare in autobus?

Há uma estação de metrô perto daqui?
C'è una fermata della metropolitana qui vicino?

Onde é o ponto de ônibus mais próximo?
Dov'è la fermata dell'autobus più vicina?

Há uma estação ferroviária perto daqui?
C'è una stazione ferroviaria qui vicino?

É muito longe para ir a pé?
È molto lontano per andarci a piedi?

Você pode chamar um táxi para nós?
Potrebbe chiamarci un taxi, per favore?

Onde posso pegar um táxi?
Dove posso prendere un taxi?

Onde posso alugar um carro aqui perto?
Dove posso noleggiare una macchina qui vicino/da queste parti?

DICA 2: MEIOS DE TRANSPORTE
NOTA 2: MEZZI DI TRASPORTO

Ao se referir a meios de transporte, utilize a preposição *in* para falar de carro, metrô, avião, trem, barco etc. A única exceção é quando dizemos "a pé", *a piedi*. Veja as frases contextualizadas abaixo:

Siamo andati da Livorno all'isola d'Elba in traghetto.
Fomos de Livorno para a Ilha de Elba de balsa.

Paolo va al lavoro in metro.
Paolo vai para o trabalho de metrô.

Sarebbe più interessante se tornassimo dalla Grecia in nave.
Seria mais interessante se voltássemos da Grécia de navio.

Michele e Enzo hanno girato per tutta l'Europa in treno.
Michele e Enzo viajaram por toda a Europa de trem.

Penso che possiamo andarci a piedi. Non è così lontano.
Acho que podemos ir a pé. Não é tão longe assim.

DICA 3: PEGAR UM TÁXI
NOTA 3: PRENDERE UN TAXI

É difícil conseguir pegar um táxi nas ruas de grandes cidades. O mais aconselhável é procurar um ponto ou ter em mãos o número de telefone de algumas cooperativas de táxi para chamá-los pelo telefone.

Pegar um táxi
Prendere un taxi

Você poderia me levar para ao Hotel (nome do hotel)?
Potrebbe portarmi all'Hotel (nome dell'hotel)?

Preciso ir para o Hotel (nome do hotel).
Devo andare all'Albergo (nome dell'albergo).

Fica longe daqui?
Quanto dista da qui?

Quanto é uma corrida até...?
Quanto viene una corsa fino a...?

Você poderia me levar à Villa Borghese/ao Teatro alla Scala?
Lei potrebbe portarmi a Villa Borghese/al Teatro alla Scala?

Quanto tempo leva a corrida?
Quanto tempo ci mette?

É muito longe daqui?
È molto lontano da qui?

Quanto tempo leva para chegar até...?
Quanto tempo ci vuole per arrivare a...?

Você conhece algum atalho daqui?
Lei conosce una scorciatoia?

Você conhece um caminho mais curto?
Lei conosce un percorso più breve?

O trânsito é ruim neste horário?
Il traffico è intenso a quest'ora?

Você pode, por favor, parar/esperar aqui?
Per favore, può fermarsi/aspettare qui?

Quanto foi a corrida, por favor?
Quant'è la corsa, per favore?

Fique com o troco.
Tenga il resto.

Dialogo 4: Viaggiare in treno — in biglietteria — comprare un biglietto

Bigliettaio: *Prego!*
Passeggero: *Un biglietto di andata e ritorno, sul treno diretto per Firenze.*
Bigliettaio: *In prima classe?*
Passeggero: *No, in seconda, grazie.*
Bigliettaio: *30 Euro.*
Passeggero: *Scusi, mi può dire da quale binario parte il treno?*
Bigliettaio: *Basta guardare il cartellone. Buon viaggio!*

DICA 4: O TREM
NOTA 4: IL TRENO

Na Itália o trem é um meio de transporte muito usado. Os italianos e turistas recorrem ao trem para fazer desde pequenos trechos até viagens internacionais pela Europa. Por esse motivo existe uma variedade muito grande de tipos de trens. Regional, Intercity e Eurostar são trens para viagens dentro da Itália. Já o Eurocity, Euronight e o Cisalpino são para viagens dentro da Europa. O site *www.trenitalia.com* traz todas as informações necessárias para viajar de trem.

Na estação: frases do bilheteiro
Alla stazione: frasi del bigliettaio

Quando o senhor quer partir?
Quando vuol partire?

Data da viagem.
Data della partenza.

O senhor prefere partir de manhã, à tarde ou à noite?
Preferisce partire al mattino, al pomeriggio o alla sera?

Com qual tipo de trem o senhor prefere viajar?
Con quale tipo di treno preferisce viaggiare?

O senhor quer viajar em um trem direto, intercity ou Eurostar?
Vuole viaggiare su un treno diretto, intercity o Eurostar?

Ida e volta?
Andata e ritorno?

Primeira ou segunda classe?
Prima o seconda classe?

Para este trem é necessário o suplemento rápido.
Per questo treno ci vuole il supplemento rapido.

Não se esqueça de validar a passagem antes de subir no trem.
Non si dimentichi di convalidare il biglietto prima di salire sul treno.

Precisa trocar de trem em...
Deve cambiare treno a...

Precisa fazer baldeação em...
Deve prendere la coincidenza a...

É possível comprar a passagem no trem, mas custa mais caro.
È possibile fare il biglietto in treno, ma costa di più.

DICA 5: COMPRAR A PASSAGEM
NOTA 5: FARE IL BIGLIETTO

Uma passagem de trem pode ser comprada diretamente na bilheteria da estação ou, para maior conforto, em agências de turismo em cuja vitrine se encontra escrito *Trenitalia*. O preço é o mesmo da estação e o turista tem a vantagem de poder dialogar com o vendedor com mais tranquilidade. É bom lembrar que as passagens de longa distância devem ser reservadas com antecedência. Uma outra opção de compra de passagem é a internet, cujo sistema se chama *ticketless*, que dá ao passageiro um código a ser informado à pessoa que, dentro do trem, picota o bilhete. Nas grandes estações, como as de Roma e Milão, existem máquinas de venda de passagens.

Importante: antes de subir no trem é necessário validar a passagem! Existem, na entrada de cada plataforma, pequenas máquinas amarelas para isso. Quem não valida a passagem recebe uma multa.

Na estação: frases do passageiro
Alla stazione: frasi del passeggero

Quero uma passagem de ida e volta para Firenze com trem regional.
Vorrei un biglietto di andata e ritorno per Firenze con treno regionale.

Uma passagem de primeira classe para Milão.
Un biglietto di prima classe per Milano.

A que horas parte o Eurocity para Paris?
A che ora parte l'Eurocity per Parigi?

A que horas chega a Roma?
A che ora arriva a Roma?

Tem um trem direto para Perugia?
C'è un treno diretto per Perugia?

Quanto custa uma passagem para...?
Quanto costa un biglietto per...?

Só ida.
Solo andata.

O trem é direto ou preciso fazer baldeação?
Il treno è diretto o devo cambiare?

De qual plataforma sai?
Da quale binario parte?

Avisos na estação ferroviária
Annunci alla stazione ferroviaria

O Diretto 3085 proveniente de Lucca das 15h14 está chegando à plata forma 7.
Diretto 3085 proveniente da Lucca delle 15.14 è in arrivo al binario 7.

O Intercity Ambrosiano 528 das 15h05 viaja com um atraso de 20 minutos. Prossegue para Milão.
Intercity Ambrosiano 528 delle ore 15,05 viaggia con un ritardo di 20 minuti. Prosegue per Milano.

O Eurocity Raffaello 54 para Chiasso, Zurique das 14h está para partir da plataforma 11. Para em Bolonha, Milão, Como.
Eurocity Raffaello 54 per Chiasso, Zurigo delle ore 14 è in partenza al binario 11. Ferma a Bologna, Milano, Como.

Atenção! O Eurostar Marco Polo 5473 proveniente de Bolzano, Trieste, Udine, Veneza das 15h24 chegará à plataforma 12 ao invés da plataforma 10. Prossegue para Roma.
Attenzione! Eurostar Marco Polo 5473 proveniente da Bolzano, Trieste, Udine, Venezia delle ore 15.24 arriverà al binario 12 anziché al binario 10. Prosegue per Roma.

O trem Regionale 21 das 12h38, proveniente de Pisa Central para Arezzo, hoje está suspenso por greve de funcionários.
Il treno Regionale 21 delle ore 12.38 proveniente da Pisa Centrale per Arezzo, oggi è soppresso per sciopero personale.

Na estação: Vocabulário & expressões em uso
Alla stazione: Vocabolario & espressioni usuali

ADIANTADO: *in anticipo*
Preferisco arrivare alla stazione in anticipo.
Prefiro chegar à estação adiantado.

ATRASADO: *in ritardo*
Se il treno arriva in ritardo, perdiamo l'aereo.
Se o trem chegar atrasado, perderemos o avião.

BALDEAÇÃO: *coincidenza*
Lei deve prendere la coincidenza per Roma a Bologna.
O senhor tem que fazer baldeação para Roma em Bolonha.

CHEFE DA ESTAÇÃO: *capostazione*
È meglio chiedere informazioni al capostazione.
É melhor pedir informações ao chefe da estação.

COMPRAR PASSAGEM: *fare il biglietto*
È possibile fare il biglietto in un'agenzia di viaggi.
É possível comprar a passagem em uma agência de viagens.

GREVE: ***sciopero***

Domani ci sarà lo sciopero dei treni.

Amanhã haverá greve de trens.

MÁQUINA QUE VALIDA A PASSAGEM: ***macchinetta obliteratrice***

La macchinetta obliteratrice si trova all'entrata del binario.

A máquina que valida a passagem fica na entrada da plataforma.

NO HORÁRIO: ***in orario***

In genere i treni arrivano in orario.

Geralmente os trens chegam no horário.

PAINEL: ***cartellone***

Può controllare gli arrivi e le partenze sul cartellone.

Pode verificar as chegadas e as partidas no painel.

PASSAGEIRO/USUÁRIO COTIDIANO: ***pendolare***

I pendolari reclamano se il treno arriva in ritardo.

Os usuários reclamam se o trem chega atrasado.

PASSAGEM ELETRÔNICA: ***ticketless***

Trenitalia offre ai suoi clienti il servizio ticketless.

Trenitalia oferece aos seus clientes o serviço de passagem eletrônica.

PASSAGEM SUBTERRÂNEA: ***sottopassaggio:***

Accedere ai binari solamente usando il sottopassaggio.

Acesso às plataformas somente utilizando a passagem subterrânea.

PLATAFORMA: ***binario/piattaforma***

Il treno per Milano parte dal binario quattordici.

O trem para Milão parte da plataforma catorze.

RESERVA OBRIGATÓRIA: ***prenotazione obbligatoria***

Sui treni Intercity è prevista la prenotazione obbligatoria.

Nos trens Intercity é necessária a reserva obrigatória.

RESERVAR: ***prenotare***

Per viaggiare sui treni Eurostar bisogna prenotare.

Para viajar com o trem Eurostar precisa reservar.

MEIOS DE TRANSPORTE

SUPLEMENTO (TARIFA PARA O TREM RÁPIDO): ***supplemento rapido***

Per viaggiare su questo treno bisogna pagare il supplemento rapido.

Para viajar neste trem precisa pagar o suplemento.

VALIDAR: ***convalidare***

Carla ha dimenticato di convalidare il biglietto e ha dovuto pagare una multa.

Carla esqueceu de validar a passagem e teve que pagar uma multa.

No trem: Vocabulário & expressões em uso
In treno: Vocabolario & espressioni usuali

CABINE: ***cabina***

Scusi, sono entrato nella cabina sbagliata.

Desculpe, entrei na cabine errada.

CHEFE DO TREM/FISCAL: ***capotreno/controllore***

Il capotreno passa per controllare i biglietti.

O chefe do trem está passando para controlar as passagens.

CORREDOR: ***corridoio***

Preferisco un posto vicino al corridoio.

Prefiro um lugar no corredor.

JANELA (DO TREM): ***finestrino***

La mamma è seduta accanto al finestrino.

A mamãe está sentada ao lado da janela.

LEITO TIPO BELICHE FIXADO NA PAREDE DAS CABINES DO TREM OU DO NAVIO: ***cuccetta***

Per andare a Parigi è meglio prenotare la cuccetta.

Para ir a Paris é melhor reservar o leito.

LUGAR: ***posto***

Scusi, questo posto è libero?

Desculpe, este lugar está livre?

MAQUINISTA: ***macchinista***

Quando il treno entra in Svizzera, cambia macchinista.

Quando o trem entra na Suíça, troca de maquinista.

VAGÃO: ***carrozza***

Per favore, dov'è la carrozza tre?

Por favor, onde fica o vagão 3?

VAGÃO LEITO: ***vettura letto/vagone letto***

Signora, la vettura letto è più avanti.

Senhora, o vagão leito fica mais adiante.

VAGÃO RESTAURANTE: ***carrozza ristorante***

Signore e signori, sono già iniziati i servizi alla carrozza ristorante.

Senhoras e senhores, já iniciaram os serviços no vagão restaurante.

Dialogo 5: Noleggiare un'auto

Addetto all'autonoleggio: *Buon giorno, signore! Prego.*
Turista: *Salve! Devo noleggiare una macchina per una settimana.*
Addetto all'autonoleggio: *Certo signore. Che tipo di macchina Lei preferisce?*
Turista: *Dunque, abbiamo bisogno di una macchina con un bagaglaio grande. Abbiamo quattro valigie.*
Addetto all'autonoleggio: *Ho capito. Ora controllo il sistema per vedere la nostra disponibilità.*
Turista: *Ok! Grazie! Vorremmo anche una copertura assicurativa totale, "casco".*
Addetto all'autonoleggio: *Va bene, signore.*

Veja a tradução desse diálogo na p. 142

Alugar um carro: frases do atendente da locadora
Noleggiare un'auto: frasi dell'addetto all'autonoleggio

Que tipo de carro o senhor prefere?
Che tipo di auto Lei preferisce?

Que tipo de carro o senhor precisa?
Che tipo di auto Le occorre?

Temos carros compactos, médios, grandes, de luxo, picapes, esportivos e minivans.
Abbiamo auto compatte, medie, grandi, di lusso, sportive e pulmini.

O senhor gostaria de um carro com GPS?*
Le piacerebbe una macchina con il navigatore satellitare/GPS?

Deixe-me checar quais carros temos disponíveis hoje.
Vediamo che tipo di macchine abbiamo disponibili oggi.

Qual a sua nacionalidade?
Da quale Paese viene?

* GPS: abreviação de *Global Positioning System*, aparelho de localização via satélite que informa ao motorista como chegar a um destino.

Quem vai dirigir?
Chi sarà il conducente del veicolo?

Só o senhor vai dirigir?
Lei è l'unico conducente?

Posso ver sua carteira de motorista internacional, por favor?
Posso vedere la Sua patente internazionale, per favore?

Por quanto tempo o senhor vai ficar com o carro?
Per quanto tempo Lei terrà la macchina?

O senhor prefere um carro a gasolina ou a diesel?
Preferisce una macchina a benzina o a diesel?

São 217 euros no total.
In totale saranno 217 Euro.

O tanque está cheio. Deve estar cheio na devolução do carro.
Il serbatoio è pieno. Deve essere pieno alla riconsegna della macchina.

O senhor precisa devolver o carro até as 16h do dia 21 de setembro.
Lei deve riconsegnare la macchina entro le ore 16 del 21 settembre.

Cobramos uma taxa de sete euros a cada três horas de atraso.
Per ogni tre ore di ritardo sarà addebitata una tassa di sette euro.

DICA 6: ALUGAR UM CARRO
NOTA 6: NOLEGGIARE UNA MACCHINA

É muito fácil alugar um carro na Itália. Observe, no entanto, que o carro é mais útil para percorrer rodovias e grandes distâncias. Nos centros urbanos, o carro pode ser um problema porque existem muitas áreas de restrição ao tráfego, principalmente nos centros históricos, por isso é necessário deixar o carro em estacionamentos pagos e distantes. O ideal é informar-se antes de entrar na cidade.

Alugar um carro: frases do turista

Noleggiare un'auto: frasi del turista

Gostaria de alugar um carro econômico.
Vorrei noleggiare una macchina economica.

Gostaríamos de alugar um carro por uma semana
Vorremmo noleggiare una macchina per una settimana.

Quanto custa por dia/semana?
Quanto viene al giorno/alla settimana?

Precisamos alugar uma van.
Dobbiamo noleggiare un pulmino.

Precisamos de um carro com porta-malas grande.
Abbiamo bisogno di una macchina con un bagagliaio ampio.

Gostaríamos de um carro com quatro portas
Vorremmo una macchina a quattro porte.

Vocês têm carros conversíveis?
Avete delle macchine decapottabili?

Eu gostaria de um carro com câmbio mecânico/manual.
Vorrei una macchina con cambio meccanico.

Eu quero um carro com câmbio automático.
Vorrei una macchina con cambio automatico.

Precisamos de um carro com um tanque grande e um porta-malas espaçoso.
Abbiamo bisogno di una macchina con un serbatoio capiente e con un ampio vano bagagli.

Eu queria um carro com GPS.
Vorrei un'auto con il navigatore satellitare/GPS.

Quanto é o aluguel do GPS?
Quanto viene il noleggio del navigatore satellitare/GPS?

Com minha carteira de motorista brasileira posso guiar aqui?
Con la mia patente brasiliana posso guidare qui?

Quanto custa o seguro total?
Quanto costa l'assicurazione totale, "casco"?

Que tipo de seguro é esse?
Che tipo di assicurazione è questa?

O que o seguro cobre?
Cosa copre l'assicurazione?

Gostaríamos de cobertura total.
Vorremmo una copertura assicurativa totale, "casco".

O tanque está cheio?
Il serbatoio è pieno?

A quilometragem é livre?
Il chilometraggio è libero?

Você pode nos dar um mapa rodoviário de Milão/Roma/etc.
Può fornirci una carta stradale di Milano/Roma/ecc.

Onde podemos devolver o carro?
Dove possiamo riconsegnare la macchina?

Podemos devolver o carro em Nápoles/Palermo/etc.?
Possiamo restituire la macchina a Napoli/Palermo/ecc.?

Qual é o limite de velocidade nesta estrada?
Qual è il limite di velocità in questa strada?

Qual é o limite de velocidade na rodovia?
Qual è il limite di velocità in autostrada?

Veja *Dica 7: Limite de velocidade e pedágio*, p. 49

Veja *Placas de trânsito comuns*, p. 55

Paga-se pedágio nesta estrada?
Si paga il pedaggio in questa strada?

O que devemos fazer se o carro quebrar?
Cosa dobbiamo fare se la macchina si ferma per un guasto?

O que devemos fazer se o carro for roubado?
Cosa dobbiamo fare se la macchina viene rubata?

O que acontece se o carro for danificado?
Cosa dobbiamo fare se la macchina viene danneggiata?

O que acontece se formos multados por excesso de velocidade?
Cosa succede se prendiamo una multa per eccesso di velocità?

No posto de gasolina
Al distributore di benzina

Estamos quase sem gasolina.
Siamo quasi senza benzina.

Vamos parar em um posto de gasolina.
Fermiamoci da un benzinaio.

Vinte euros de gasolina, por favor!
Venti euro di benzina, per favore!

Pode completar, por favor.
Mi faccia il pieno, per favore.

Vocês abastecem automóveis a gás?
Rifornite auto a metano?

Este carro é a diesel/gasolina.
Questa macchina è a diesel/benzina.

Vinte euros de gasolina comum/aditivada, por favor.
Venti euro di benzina verde/superplus per favore.

Você pode checar o óleo, por favor?
Può controllare il livello dell'olio, per favore?

Você pode calibrar os pneus, por favor?
Può controllare la pressione delle gomme, per favore?

Você pode lavar o para-brisa, por favor?
Può pulire il parabrezza, per favore?

Quanto lhe devo?
Quant'è?

Você pode me dizer como chegar até...?
Potrebbe dirmi come faccio per arrivare a...?

Veja *Pedir indicação de caminho*, p. 72

DICA 7: LIMITE DE VELOCIDADE E PEDÁGIO
NOTA 7: LIMITE DI VELOCITÀ E PEDAGGIO

As rodovias italianas são dotadas de radares chamados autovelox. Em quase todas as estradas paga-se o pedágio. Em geral, quando você entra na rodovia há uma guarita para retirar o ticket de entrada apertando o botão apropriado. Ao deixar a rodovia, você encontrará outra guarita onde deverá apresentar o ticket de entrada e pagar a quilometragem rodada.

DICA 8: POSTOS DE GASOLINA
NOTA 8: DISTRIBUITORI DI BENZINA

Na Itália existem dois tipos de atendimento nos postos de gasolina: *Servito* e *Self-service*. Quando tiver uma placa com a palavra *Servito*, significa que você será atendido por um frentista e o combustível custa um pouco mais caro. Caso você opte pelo *self-service,* o dinheiro deverá ser colocado na bomba e ela será liberada para você se servir. Num mesmo posto você pode encontrar os dois tipos de serviço.

Problemas com o carro
Guasti all'automobile

Não consigo dar a partida./Não está pegando.
Non si avvia./Non si accende.

O pneu está furado.
Si è bucata una gomma.

Vamos pegar o macaco para levantar o carro.
Prendiamo il crick per sollevare la macchina.

Vamos pegar o estepe (pneu sobressalente).
Prendiamo la ruota di scorta.

O carro não dá partida.
La macchina non parte.

Parece haver um problema no/na...
Sembra che ci sia un problema al/alla...

Vamos chamar o guincho.
Chiamiamo il carro attrezzi.

O carro vai ter que ser guinchado para a oficina mais próxima.
L'auto deve essere rimorchiata fino all'officina meccanica più vicina.

Tranquei o carro com as chaves dentro.
Ho chiuso la macchina con le chiavi dentro.

Nosso veículo foi danificado.
La nostra macchina ha subito dei danni alla carrozzeria.

Nós batemos o carro.
Abbiamo tamponato la macchina.

Está morrendo.
Tende a spegnersi.

Está esquentando.
Si sta surriscaldando.

O freio não está funcionando direito.
I freni non rispondono bene.

Precisa recarregar a bateria.
Bisogna ricaricare la batteria.

Parece haver um problema com a caixa de câmbio.
Sembra che ci sia un problema nella scatola del cambio.

Está vazando óleo.
Perde olio.

Tem alguma oficina aqui perto?
C'è un'officina qui vicino?

Quanto tempo vai levar para consertar?
Quanto tempo impiegherà per ripararla?

MEIOS DE TRANSPORTE

Viajar de carro: Vocabulário & expressões em uso
Viaggiare in macchina: Vocabolario & espressioni usuali

ACOSTAMENTO: ***corsia d'emergenza/accostamento***

L'automobilista si è fermato sulla corsia d'emergenza per verificare cosa non andava bene alla macchina.

O motorista parou no acostamento para checar o que estava errado com o carro.

ATALHO: ***scorciatoia***

Non è meglio prendere una scorciatoia?

Não é melhor pegar um atalho?

BATIDA SEM MAIORES CONSEQUÊNCIAS, "BATIDINHA", "ARRANHÃO": ***tamponamento***

Un tamponamento ha provocato un traffico intenso stamattina.

Uma batidinha fez o trânsito parar esta manhã.

COLIDIR, BATER (VEÍCULOS): ***tamponare/urtare/collidere***

Salvatore è un bravo guidatore. Non ha mai tamponato la macchina.

Salvatore é um ótimo motorista. Nunca bateu o carro.

COLISÃO, BATIDA (VEÍCULOS), ACIDENTE: ***collisione/tamponamento/urto/incidente***

Quella strada è molto pericolosa. Lì ci sono stati molti incidenti.

Aquela estrada é muito perigosa. Já houve muitos acidentes lá.

CONGESTIONAMENTO, ENGARRAFAMENTO: ***ingorgo stradale/imbottigliamento***

Siamo arrivati in ritardo perché c'era un ingorgo enorme sulla strada.

Chegamos atrasados porque tinha um congestionamento enorme na estrada.

CONGESTIONAR (TRÂNSITO): ***intasare/congestionare/bloccare***

Il traffico sul viale principale è intasato.

O trânsito na avenida principal está congestionado.

CRUZAMENTO: ***incrocio***

Attenzione all'incrocio!

Cuidado com o cruzamento!

DESVIO: ***deviazione***

Rallenta, perché più avanti c'è una deviazione.

Diminua a velocidade, porque mais à frente tem um desvio.

ENGAVETAMENTO: ***tamponamento a catena***

C'è stato un tamponamento a catena sulla via principale.

Houve um engavetamento na rua principal.

ESTEPE, PNEU SOBRESSALENTE: ***ruota di scorta***

Controlla se la ruota di scorta è a posto.

Verifique se o estepe está em ordem.

FICAR PRESO NO TRÂNSITO: ***essere bloccato dal traffico***

Scusami per il ritardo, sono stato bloccato dal traffico!

Desculpe o atraso, fiquei preso no trânsito!

HORA DO RUSH: ***ora di punta/orario di punta***

Il traffico è sempre così intenso all'ora di punta.

O trânsito é sempre intenso assim no horário do rush.

LOMBADA, QUEBRA-MOLAS: ***dosso***

Attenzione al dosso lì avanti!

Cuidado com a lombada à frente!

MULTA DE TRÂNSITO: ***multa***

Attenzione al limite di velocità su questa strada. Non vuoi mica prendere una multa, vero?

Cuidado com o limite de velocidade nesta estrada. Você não quer ganhar uma multa, quer?

MULTAR: ***multare***

Loro sono stati multati per eccesso di velocità.

Eles foram multados por excesso de velocidade.

OFICINA MECÂNICA: ***officina meccanica/auto riparazione***

Sai dov'è l'officina meccanica più vicina?

Você sabe onde fica a oficina mecânica mais próxima?

PEDÁGIO: ***pedaggio***

In tutte le autostrade italiane si paga il pedaggio.

Em todas as rodovias italianas se paga pedágio.

PISTA, FAIXA: ***corsia***

È un'autostrada a quattro corsie.

É uma rodovia com quatro pistas.

PLACA DE CARRO: ***targa***

Qual è il numero di targa della tua macchina?

Qual é o número da placa de seu carro?

PNEU FURADO: ***gomma bucata***

Questa no! Si è bucata una gomma.

Ah, não! Furou um pneu.

RUA DE MÃO DUPLA: ***via a doppio senso***

Qui si può girare a destra. È una via a doppio senso.

Aqui você pode virar à direita. É uma rua de mão dupla.

RUA DE MÃO ÚNICA: ***via a senso unico***

Qui non si può girare a sinistra. È una via a senso unico.

Aqui você não pode virar à esquerda. É uma rua de mão única.

SAÍDA: ***uscita***

Dobbiamo prendere l'uscita ventitré. Penso che sia la prossima.

Temos que pegar a saída vinte e três. Acho que é a próxima.

SEMÁFORO: ***semaforo***

Per raggiungere il Duomo, deve girare a destra al secondo semaforo.

Para chegar à Catedral, o senhor deve virar à direita no segundo semáforo.

PLACAS DE TRÂNSITO COMUNS NA ITÁLIA
SEGNALETICA STRADALE IN USO IN ITALIA

PROIBIDO ESTACIONAR

PROIBIDO ESTACIONAR E PARAR

DIREITO DE PREFERÊNCIA

DAR PREFERÊNCIA NOS SENTIDOS ÚNICOS ALTERNADOS

PROIBIDA A ULTRAPASSAGEM

FIM DA PROIBIÇÃO DE ULTRAPASSAGEM

DIREITO A PREFERÊNCIA

FIM DO DIREITO A PREFERÊNCIA

MEIO-FIO

LOMBADA

ESTRADA IRREGULAR

PROIBIDO TRAFEGAR

SENTIDO PROIBIDO

PASSAGEM LIVRE

ZONA DE TRÁFEGO LIMITADO (ZTL)

FIM DA ZONA DE TRÁFEGO LIMITADO (ZTL)

ACESSO CONSENTIDO SOMENTE A VEÍCULOS AUTORIZADOS A ENTRAR NA ZTL

ACESSO CONSENTIDO A TODOS OS VEÍCULOS À ZTL

AVISO DE PASSAGEM DE NÍVEL (FERROVIA)

PASSAGEM DE NÍVEL COM BARREIRA

PASSAGEM DE NÍVEL SEM BARREIRA

PARE - POLÍCIA

PARE NO PEDÁGIO PARA RETIRAR O TIQUETE DE ENTRADA NA RODOVIA

PARE - ALFÂNDEGA

POLÍCIA

ENDEREÇO E TELEFONE DA POLÍCIA

ENDEREÇO E TELEFONE DA POLÍCIA FEDERAL

ENDEREÇO E TELEFONE DA POLÍCIA

ENDEREÇO E TELEFONE DA POLÍCIA RODOVIÁRIA

PONTE MÓVEL

REGULAMENTAÇÃO DE ESTACIONAMENTO NO CENTRO URBANO

PASSAGEM DE VEÍCULOS

ENTRAR E SAIR DEVAGAR

ESTACIONAMENTO RESERVADO AOS CONDÔMINOS

ESTACIONAMENTO PRIVADO

LAVAGEM MECÂNICA DA RUA
(PROIBIDO ESTACIONAR NO HORÁRIO INDICADO)

OBRIGATÓRIO USO DE CORRENTES PARA NEVE

IDENTIFICAÇÃO DE RODOVIAS NACIONAIS

IDENTIFICAÇÃO DE RODOVIAS DE
RELEVÂNCIA INTERNACIONAL

NUMERAÇÃO DE VIADUTO

CRUZAMENTO COM PREFERÊNCIA À DIREITA

TRAVESSIA DE BONDES

ÁREA PARA CAMPING

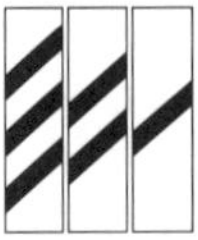

AVISO PROGRESSIVO DE APROXIMAÇÃO DE PASSAGEM DE NÍVEL

PARE

LIMITE DE VELOCIDADE

FIM DO LIMITE DE VELOCIDADE

LIMITE MÍNIMO DE VELOCIDADE

FIM DO LIMITE MÍNIMO DE VELOCIDADE

MÃO ÚNICA

DÊ PREFERÊNCIA

RUA SEM SAÍDA

PISTA FECHADA AO TRÁFEGO

HOMENS TRABALHANDO

DESVIO

CONTROLE DE VELOCIDADE

PISTA ESCORREGADIA COM CHUVA, NEVE OU GELO

DIMINUA A VELOCIDADE

DIMINUA A VELOCIDADE - TRABALHOS EM ANDAMENTO

PASSAGEM DE PEDESTRES

TRAVESSIA DE PEDESTRES

Ao passar por pedágios...

PAGAMENTO EM DINHEIRO

PAGAMENTO COM CARTÃO DE CRÉDITO

PAGAMENTO COM SISTEMA ELETRÔNICO

Ao estacionar, fique atento às placas...

PROIBIDO ESTACIONAR NESTA ÁREA

PROIBIDO ESTACIONAR - SUJEITO A GUINCHO

NÃO NOS RESPONSABILIZAMOS POR OBJETOS DE QUALQUER NATUREZA DEIXADOS NOS VEÍCULOS SE NÃO FOREM ENTREGUES ESPECIFICAMENTE AOS FUNCIONÁRIOS RESPONSÁVEIS PELA RECEPÇÃO

Outras placas importantes para os turistas com automóveis...

ESTACIONAMENTO RESERVADO A DEFICIENTES

ÁREA DE DESCANSO

Obs.: por *area di servizio* entende-se um local que abriga posto de gasolina, lanchonete, restaurante, banheiros, conveniências e outros serviços.

ÁREA DE DESCANSO SUCESSIVA A 27 KM

INFORMAÇÕES TURÍSTICAS

MECÂNICO

ALBERGUE DA JUVENTUDE

PIQUENIQUE

Acelerador: *acceleratore*
Air bag: *airbag*
Amortecedor: *ammortizzatore*
Ar-condicionado: *aria condizionata, climatizzatore*
Bagageiro: *portabagagli*
Banco do motorista: *sedile del guidatore*
Banco do passageiro: *sedile del passeggero*
Breque: *freno*
Breque de mão: *freno a mano*
Buzina: *clacson*
Buzinar: *suonare il clacson*
Calota: *coppa, coprimozzo*
Capô: *cofano*
Chapa: *targa*
Cinto de segurança: *cintura di sicurezza*
Combustível: *carburante*
Direção: *volante*
Direção hidráulica: *servosterzo*
Embreagem: *frizione*
Escapamento (silenciador): *marmitta*
Escapamento (cano): *tubo di scarico, scappamento*
Espelho retrovisor externo: *specchietto retrovisore esterno*
Espelho retrovisor interno: *specchietto retrovisore interno*
Este carro funciona com gasolina/álcool/diesel/eletricidade/gás: *questa macchina va a benzina/diesel/elettricità/gas/metano*
Estepe: *ruota di scorta*
Faróis dianteiros: *fari, fanali anteriori*
Funilaria: *carrozzeria*
Gasolina: *benzina*
Injeção eletrônica: *iniezione elettronica*
Levantar o carro: *sollevare la macchina*
Limpadores de para-brisa: *tergicristalli*
Macaco: *crick*
Marcha: *marcia*
Marcha a ré: *retromarcia*
Painel: *cruscotto*
Para-brisa: *parabrezza*
Para-choque: *paraurti*
Pneu: *pneumatico, gomma*
Pneu sobressalente: *ruota di scorta*
Porta-luvas: *bauletto*
Porta-malas: *portabagagli, baule posteriore, vano bagagli*
Revisão: *revisione*
Roda: *ruota*
Teto solar: *tettuccio solare*
Trocar o pneu: *sostituire il pneumatico, la gomma*
Trocar de marcha: *cambiare marcia*
Vela de ignição: *candela*
Velocímetro: *tachimetro*
Volante: *volante*

Acomodação & Hospedagem

Fazer reserva em um hotel por telefone

Prenotare un albergo per telefono

Gostaria de fazer uma reserva para duas pessoas de... a...
Vorrei fare una prenotazione per due persone dal... al...

Gostaria de reservar um quarto individual/duplo/triplo para três noites.
Vorrei prenotare una camera singola/doppia/tripla per tre notti.

Tem um quarto de casal livre, de quinze a vinte do próximo mês?
C'è una camera matrimoniale libera, dal quindici al venti del prossimo mese?

Você tem quartos disponíveis para a segunda semana de setembro?
Ci sono camere disponibili per la seconda settimana di settembre?

Quanto é a diária para um casal/uma pessoa?
Quanto viene a notte una camera matrimoniale/singola?

A diária para um casal/uma pessoa é...
Una notte per una coppia/una persona costa...

O café da manhã está incluso?
È compresa la prima colazione?

Posso pagar com cartão de crédito?
Posso pagare con la carta di credito?

Aceitamos Amex, Visa e Mastercard.
Accettiamo le carte di credito Amex, Visa e MasterCard.

Desculpe, estamos lotados.
Mi dispiace, siamo al completo.

Você pode me recomendar um outro hotel na região?
Potrebbe indicarmi un altro albergo in zona/nei dintorni?

Você sabe se há um albergue da juventude na cidade?
Lei sa se c'è un Ostello della Gioventù in città?

Vocês têm site na internet?
Avete un sito internet?

Acomodações e instalações
Accomodazioni e servizi

Que tipo de acomodação vocês têm?
Che tipo di accomodazione avete?

Vocês têm piscina/sauna/hidromassagem/*fitness center*/academia/etc.?
Avete la piscina/la sauna/l'idromassaggio/il centro fitness/la palestra/ecc.?

Onde fica a piscina/sauna/etc.?
Dov'è la piscina/sauna/ecc.?

Fica no décimo segundo andar.
È al dodicesimo piano.

Tem frigobar no quarto?
C'è il frigobar in camera?

Os quartos têm TV a cabo/via satélite?
Le camere hanno la Pay TV/TV satellitare?

Vocês têm conexão à internet de banda larga/wi-fi?
Avete l'accesso Internet ad alta velocità/wi-fi?*

Tem cofre/ferro de passar/secador de cabelos no quarto?
C'è la cassaforte/il ferro da stiro/l'asciugacapelli in camera?

Vocês têm quartos com banheira?
Ci sono camere con la vasca da bagno?

Todos os quartos têm ar-condicionado/aquecimento/frigobar?
Tutte le camere sono dotate di aria condizionata/riscaldamento/frigobar?

* Wi-fi: vem do termo *Wireless Fidelity*, tecnologia que permite acesso à internet sem o uso de fios.

Os quartos possuem telefone com linha externa/conexão para internet/banheiro privado?
Le camere sono dotate di telefono con linea esterna/connessione ad Internet/bagno privato?

O hotel tem quartos adaptados para hospedar pessoas deficientes?
L'hotel ha delle stanze attrezzate per ospitare persone disabili?

Vocês têm quartos para fumantes?
Avete delle camere per fumatori?

O hotel dispõe de sala de reuniões?
L'albergo dispone di una sala riunioni?

Check-in no hotel
Check-in in albergo

Posso ajudar?
Desidera?

Eu fiz uma reserva em nome de Silva, Pedro Silva.
Ho fatto una prenotazione a nome Silva, Pedro Silva.

Só um minuto, senhor. Aqui está, senhor Silva. O senhor reservou um quarto individual por três dias, certo?
Un attimo signore. Ecco qua, Signor Silva. Ha prenotato per tre giorni una camera singola, esatto?

O senhor deve preencher esta ficha, por favor.
Deve compilare questa scheda, per cortesia.

O seu quarto é o 307. O carregador leva a sua bagagem até o quarto.
La sua camera è la 307. Il facchino porterà il suo bagaglio in camera.

Vocês têm serviço de despertador?
Avete il servizio sveglia?

Sim, senhor. A que horas o senhor gostaria de ser acordado?
Sì. A che ora desidera essere svegliato?

Tem carregador de bagagem?
C'è un facchino?

Vocês têm serviço de manobrista?
Avete il servizio posteggiatore?

Onde está o manobrista?
Dov'è il posteggiatore?

Você poderia ir buscar o meu carro?
Potrebbe andare a prendere la mia macchina?

Onde fica o elevador?
Dov'è l'ascensore?

Onde posso deixar meus objetos de valor?
Dove posso lasciare i miei oggetti di valore?

Vocês têm um mapa da cidade?
Avete la cartina della città?

A que horas é o *check-out*?
A che ora è il check-out?

A que horas o café da manhã/o almoço/o jantar é servido?
A che ora viene servita(o) la prima colazione/il pranzo/la cena?

Ok, muito obrigado.
Va bene, grazie mille.

Não há de quê, senhor!
Prego, signore!

No hotel: serviço de quarto
In albergo: servizio di camera

Preciso de um travesseiro/uma toalha/um cobertor extra.
Mi occorre un altro cuscino/asciugamano/un'altra coperta.

Preciso de mais cabides.
Mi occorrono altre grucce.

Gostaria de pedir alguma coisa para comer/um lanche.
Vorrei ordinare qualcosa da mangiare/uno spuntino/una merenda.

Gostaria de fazer uma ligação telefônica para o Brasil.
Vorrei fare una telefonata in Brasile.

Gostaria de fazer uma ligação a cobrar.
Vorrei fare una telefonata a carico del destinatario.

Vocês têm serviço de lavanderia/passanderia?
C'è il servizio di lavanderia/stireria?

Vocês têm serviço de lavagem a seco?
C'è il servizio di pulitura a secco?

Vocês têm serviço de despertar?
Avete il servizio sveglia?

Gostaria do serviço de despertador para as sete horas, por favor.
Vorrei la sveglia per le sette, per favore.

Preciso ser acordado às oito horas, por favor.
Avrei bisogno, assolutamente, di essere svegliato alle otto, per favore.

No hotel: problemas no quarto
In albergo: problemi nella camera

A TV não está funcionando direito.
La TV non funziona bene.

Acho que o controle remoto está com defeito.
Mi sembra che il telecomando abbia qualche difetto.

O ar-condicionado/aquecimento não está funcionando bem.
L'aria condizionata/il riscaldamento non funziona bene.

O secador de cabelos não está funcionando.
L'asciugacapelli/il fon non funziona.

Não há papel higiênico no banheiro.
Manca la carta igienica nel bagno.

A descarga não está funcionando.
Lo sciacquone non funziona.

A pia está entupida.
Il lavandino è intasato.

O ralo do chuveiro está entupido.
Lo scarico della doccia è ostruito.

O elevador/a máquina de lavar está quebrado(a).
L'ascensore/la lavatrice è guasto(a).

A torneira está pingando muito.
Il rubinetto gocciola molto/sta gocciolando continuamente.

Tem um vazamento no teto.
C'è una perdita d'acqua nel soffitto.

Eu poderia trocar de quarto, por favor?
Potrei cambiare camera, per favore?

Dialogo 6: Problemi con l'aria condizionata

Reception: *Reception, Alberto. Prego!*
Turista: *Salve. Umh, deve esserci un problema all'aria condizionata. Non sta funzionando bene.*
Reception: *Non si preoccupi signore. Le manderò subito un addetto per risolvere il problema.*
Turista: *Ah, a proposito, potrebbe mandarmi pure un altro asciugamano?*
Reception: *Certo signore. Una delle nostre cameriere Le porterà altri asciugamani.*
Turista: *Grazie mille!*
Reception: *Di niente, signore!*

Veja a tradução desse diálogo na p. 143

No hotel: pedidos e necessidades
In albergo: richieste e bisogni

Tem algum parque aqui perto onde eu possa correr?
C'è un parco qui vicino per fare jogging?

Tem uma casa de câmbio aqui perto?
C'è un ufficio cambio qui vicino?

Qual é a taxa de câmbio do euro para o real?
Qual è il tasso di cambio tra l'euro e il real?

Onde posso alugar um carro aqui perto?
Dove posso noleggiare una macchina qui vicino?

Você tem um centro de negócios onde se pode usar um computador?
C'è un centro business dove si possa usare un computer?

Por favor, há algum recado para o quarto...?
Per favore, c'è qualche messaggio per la camera...?

Tem um restaurante/lanchonete aqui perto?
C'è un ristorante/bar qui vicino?

Onde posso comprar alguma coisa para comer aqui perto?
Dove posso comprare qualcosa da mangiare qui vicino?

Tem um mercadinho aqui perto?
C'è un negozio di Alimentari qui vicino?*

Onde fica o supermercado mais próximo?
Dov'è il supermercato più vicino?

Tem atrações turísticas aqui perto?
Ci sono attrazioni turistiche qui vicino?

A que distância está o centro da cidade?
Quanto dista il centro della città?

É perigoso ir a pé?
È pericoloso andarci a piedi?

A que distância está a praia?
Quanto dista la spiaggia?

Podemos chegar lá de metrô/ônibus?
Possiamo arrivarci in metro/autobus?

Você poderia me chamar um táxi?
Potrebbe chiamarmi un taxi?

Quanto custa uma corrida até...?
Quanto viene una corsa fino a...?

Vocês têm serviço de manobrista?
Avete il servizio posteggiatore?

Você poderia ir buscar o meu carro?
Potrebbe andare a prendere la mia macchina?

* Alimentari: são pequenos mercados que vendem exclusivamente produtos alimentícios (frios, laticínios, pães, frutas, verduras, enlatados, bebidas).

No hotel: fazer o *check-out*

In albergo: fare il check-out

A que horas é o *check-out*?
A che ora è il check-out?

Gostaria de fazer o *check-out*, por favor.
Vorrei fare il check-out, per favore.

Posso pagar com cartão de crédito?
Posso pagare con la carta di credito?

Claro, senhor. Aceitamos todos os cartões.
Certo, signore. Accettiamo tutte le carte di credito.

Ótimo, aqui está.
Ottimo, eccola qua.

O senhor consumiu alguma coisa do frigobar?
Ha preso qualcosa dal frigobar?

Obrigado, senhor. Vamos cobrar o total de duzentos e setenta e três euros no seu cartão. O senhor pode assinar aqui?
Grazie, signore. Verrá addebitato un totale di 273 euro sulla Sua carta di credito. Può firmare qui?

A que se refere esse item?
A che cosa si riferisce questa voce?

O senhor precisa de ajuda para levar as malas?
Ha bisogno di aiuto per portare le valigie?

Vou pedir para o carregador de malas pegas as suas malas no quarto.
Chiederò al facchino di prendere le Sue valigie in camera.

Preciso ir para o aeroporto. Você poderia chamar um táxi para mim, por favor?
Devo andare all`aeroporto. Potrebbe chiamarmi un taxi, per favore?

Obrigado. Esperamos revê-lo em breve!
Grazie. Speriamo di rivederci presto!

Pedir indicação de caminho

Chiedere informazioni stradali

Como faço para ir daqui até...?
Come faccio per andare da qui a...?

Por favor, desculpe, você pode me indicar o caminho para chegar a...?
Senta, scusi, può indicarmi la strada per arrivare a...?

É muito longe para ir a pé?
È lontano a piedi?

Dá para ir a pé?
Ci si può andare a piedi?

Qual é a distância?
Quanto dista da qui?

Quantos quarteirões devo caminhar para chegar à Rua...?
Quanti isolati devo percorrere per arrivare in Via...?

Dá para chegar lá de metrô?
Ci si può andare con la metropolitana?

Dá para ir de ônibus?
Ci si arriva in autobus?

Você pode me mostrar no mapa?
Potrebbe indicarmi sulla cartina?

Há uma estação de metrô perto daqui?
C'è una fermata della metropolitana nei paraggi?

Onde é o ponto de ônibus mais próximo?
Dov'è la fermata dell'autobus più vicina?

Com licença, você pode me dizer onde fica o posto de gasolina mais próximo daqui?
Scusi, potrebbe dirmi dov'è il benzinaio più vicino?

Com licença, como faço para pegar a rodovia daqui?
Senta, come faccio per prendere l'autostrada da qui?

Com licença, como chego ao aeroporto daqui?
Scusi, come faccio per arrivare all'aeroporto da qui?

Tem um banco/uma farmácia/um shopping aqui perto?
C'è una banca/farmacia/un centro commerciale qui vicino?

Tem um cyber café aqui perto?
C'è un cyber/internet caffè qui vicino?

ACOMODAÇÃO & HOSPEDAGEM

Dialogo 7: Chiedere informazioni stradali

Turista: *Senta, scusi. Lei sa dirmi se c'è una farmacia qui vicino?*
Passante: *Ce n'è una a due isolati da qui. Non può sbagliare.*

Turista: *Grazie! Devo anche prelevare dei soldi. Lei sa dov'è la banca più vicina?*
Passante: *C'è un Bancomat proprio nella farmacia che Le ho indicato. Può prelevarli lì.*
Turista: *Va benissimo! Grazie mille; molto gentile!*
Passante: *Prego!*

Veja a tradução desse diálogo na p. 143

Indicar o caminho
Dare informazioni stradali

Continue reto até a Via Cavour.
Segua dritto fino a Via Cavour.

O(A) senhor(a) tem que virar à direita na próxima rua.
Lei deve girare a destra alla prossima via.

Vire na primeira à direita.
Giri alla prima a destra.

Ande um quarteirão e vire à esquerda.
Cammini un isolato e giri a sinistra.

Vá até o fim do quarteirão e vire à esquerda.
Vada fino alla fine dell'isolato e giri a sinistra.

Entre à esquerda no primeiro semáforo.
Giri a sinistra al primo semaforo.

Fica logo ali na esquina.
È proprio lì all'angolo.

Dá para ir a pé.
Ci si può andare a piedi.

O(A) senhor(a) pode ir a pé.
Può andarci a piedi.

Está a quatro quarteirões daqui
È a quattro isolati da qui.

É mais fácil se o(a) senhor(a) pegar o metrô/um táxi.
È più comodo se Lei prende la metropolitana/un taxi.

É melhor pegar o metrô/um táxi.
È meglio prendere la metropolitana/un taxi

Se eu fosse você pegaria o ônibus.
Se fossi in te, prenderei l'autobus.

Há uma estação de metrô aqui perto.
C'è una fermata della metro qui vicino.

Tem um ponto de ônibus aqui perto.
C'è una fermata dell'autobus qui vicino.

O(A) senhor(a) pode pegar o metrô na(o)...
Può prendere la metropolitana alla...

Você pode pegar o ônibus e descer na(o)...
Puoi prendere l'autobus e scendere in...

Você pode chegar lá de metrô.
Puoi arrivarci con la metropolitana.

Ligações telefônicas: pedir ajuda à telefonista
Telefonare: chiedere aiuto alla/al telefonista

Você pode, por favor, me ajudar a ligar para o Brasil?
Potrebbe aiutarmi a telefonare in Brasile/chiamare il Brasile?

Qual é o código de área de São Paulo/Rio de Janeiro/etc.?
Qual è il prefisso telefonico di San Paolo/Rio de Janeiro/ecc.?

Você pode falar mais devagar, por favor?
Può parlare più piano, per favore?

Gostaria de fazer uma ligação para o Brasil.
Vorrei fare una telefonata in Brasile.

Gostaria de fazer uma ligação a cobrar.
Vorrei fare una chiamata internazionale a carico del destinatario.

Não consigo ligar para o/a...
Non riesco a chiamare il/la ...

Ligações telefônicas: frases usuais
Telefonare: frasi convenzionali

Quem está falando, por favor?
Chi parla, per favore?

Quem é, por favor?
Scusi, chi è?

Quem gostaria de falar, e qual é o assunto, por favor?
Chi devo dire e di che cosa si tratta, per favore?

Espere um segundo, por favor.
Attenda un attimo, per favore.

Vou transferir você para o ramal...
Le trasferisco la chiamata all'interno numero...

Vou transferir sua ligação.
Trasferisco la Sua chiamata.

Agora vamos falar no viva-voz.
Adesso parliamo in vivavoce.

A linha está ocupada.
La linea è occupata.

Só dá ocupado.
È sempre occupato.

Por favor, fique na espera/linha.
Per favore, rimanga in attesa/in linea.

Por favor, espere na linha.
Per favore, attenda in linea.

Você pode me ligar depois?
Puoi chiamarmi più tardi?

Te ligo mais tarde.
Ti telefono/chiamo più tardi.

Você gostaria de deixar um recado?
Vorrebbe lasciare un messaggio?

Desculpe, acho que o senhor errou o número.
Scusi, penso che abbia sbgliato numero.

Alô, aqui quem está falando é o Paolo/a Maria.
Pronto, sono Paolo/Maria.

Estou ligando para/a respeito de...
Ti/Le telefono per/riguardo a...

Estou ligando em nome de...
Sto chiamando a nome di...

A Susanna/o Senhor Galli está?
C'è Susanna/il Signor. Galli?

Não importa, eu torno a chamar mais tarde.
Non importa, richiamo più tardi.

Você pode pedir a ele/ela para retornar minha ligação?
Può dirgli/dirle di richiamarmi?

O senhor pode deixar um telefone para contato?
Può lasciare un recapito telefonico?

Senhor, pode nos deixar o número do seu celular?
Può lasciarci il numero del Suo cellulare/telefonino?

Vou enviar um e-mail para ele.
Gli manderò una mail.

Meu endereço de e-mail é paulosilva arroba disal ponto com ponto br.
Il mio indirizzo elettronico è paulosilva chiocciola disal punto com punto br.

Desculpe, a ligação está péssima, posso te ligar de volta?
Scusami, la linea è molto disturbata, posso richiamarti io?

Desculpe, não estou ouvindo bem, posso lhe telefonar de volta?
Mi scusi, non La sento bene, posso richiamaLa io?

Responde a secretária eletrônica de 4453 2825. Por favor, deixe um recado depois do bip.
Risponde la segreteria telefonica del 4453 2825. Vi preghiamo di lasciare un messaggio dopo il segnale acustico.

Deixei um recado na sua secretária eletrônica.
Ho lasciato un messaggio sulla Sua segreteria telefonica.

Por favor, não desligue.
Per favore, non riattacchi/riappenda/metta giù.

Desculpe, foi engano!
Scusi, ho sbagliato numero!

DICA 9: CARTÃO TELEFÔNICO INTERNACIONAL
NOTA 9: SCHEDA TELEFONICA INTERNAZIONALE

Uma das formas mais econômicas de fazer ligações da Itália para o Brasil é utilizar a *scheda telefonica internazionale*, um cartão que geralmente é vendido nas bancas de jornal ou nas tabacarias. Utilizá-lo é simples, basta seguir as explicações passo a passo contidas no cartão.

CAPÍTULO 4
CAPITOLO 4

Alimentação

Dialogo 8: Cercare un posto per mangiare

Turista: *Senta, scusi. Potrebbe indicarci un buon ristorante da queste parti?*
Reception: *Come no, signora. Cosa volete mangiare?*
Turista: *Forse della pasta per me e pizza per i bambini.*
Reception: *Dunque, in questo caso io Le consiglirei di andare in un ristorante in Piazza Garibaldi. È vicino e lì si mangia molto bene.*
Turista: *Mi sembra un'ottima idea. Potrebbe dirci come ci si arriva?*
Reception: *Certo. Ve lo mosro sulla cartina.*

Veja a tradução desse diálogo na p. 143

Procurar um lugar para comer: frases usuais
Cercare un posto per mangiare: frasi convenzionali

Tem uma lanchonete aqui perto?
C'è un bar/una paninoteca qui vicino?

Tem algum restaurante por aqui?
C'è un ristorante da queste parti?

Gostaríamos de ir a um fast-food.
Vorremmo andare a un fast food.

Você pode recomendar algum bom restaurante?
Potrebbe indicarci un buon ristorante?

Você conhece algum restaurante brasileiro/chinês/japonês/francês/italiano/português aqui perto?
Conosce qualche ristorante brasiliano/cinese/giapponese/francese/italiano/portoghese nei dintorni?

Onde podemos encontrar um bom restaurante aqui perto?
Dove possiamo trovare un buon ristorante qui vicino?

Tem um restaurante vegetariano aqui perto?
Senta, c'è un ristorante vegetariano da queste parti?

Você sabe se há uma churrascaria aqui perto?
*Scusi, sa se c'è una bisteccheria/*churrascaria *qui vicino?*

Chegar ao restaurante
Arrivare al ristorante

Somos um grupo de cinco pessoas, por favor.
Siamo un gruppo di cinque persone, per favore.

Estamos em cinco pessoas.
Siamo in cinque.

Somos quatro.
Siamo in quattro.

Vocês têm área para fumantes?
Avete una zona per fumatori?

Você pode nos arrumar uma mesa perto da janela?
Potrebbe sistemarci in un tavolo vicino alla finestra?

Onde fica o toalete, por favor?

Dove è la toilette, per favore?

Desculpe, o restaurante está cheio. Teremos uma mesa para vocês em aproximadamente quinze minutos.

Mi dispiace, siamo al completo. Ci sarà un tavolo libero per voi fra circa quindici minuti.

DICA 10: ONDE COMER
NOTA 10: DOVE MANGIARE

Existe uma variedade muito grande de locais para se fazer refeições, tais como:

bar: serve sanduíches, saladas e pratos prontos; é o mais próximo da "lanchonete" brasileira;
fast food: serve as mais variadas pizzas aos pedaços (*pizza al taglio* ou *al trancio*) e *piadine* (tipo de sanduíche);
panetteria: serve sanduíches (*panini*), *focaccie* e saladas;
paninoteca: serve sanduíches (*panini*);
tavola fredda: local que não possui cozinha e os alimentos podem ser servidos frios ou aquecidos na chapa ou grill (*piastra*);
tavola calda: espécie de fast food que possui cozinha e prepara pratos rápidos para quem não tem muito tempo para comer;
self-service: onde o cliente escolhe o que quer comer e é servido por um atendente que está atrás do balcão de comida;
auto grill: cadeia de self-service nas rodovias;
trattoria: restaurante simples, onde se paga menos por causa do tipo de serviço;
osteria: equivalente à *tratttoria*;
ristorante: é o restaurante tradicional;
pasticceria: é a doceria.

Nota: nos bares, normalmente, o café é tomado no balcão. Se você se sentar, mesmo sem ser servido, pagará mais por ocupar a mesa.

No restaurante: pedir o cardápio
Al ristorante: chiedere il menu

Você pode me/nos trazer o cardápio, por favor?
Potrebbe portarmi/portarci il menu, per favore?

Gostaria de olhar o cardápio, por favor.
Vorrei vedere il menu, per favore.

Posso dar uma olhada no cardápio, por favor?
Posso dare un'occhiata al menu, per favore?

Posso ver a carta de vinhos, por favor?
Potrei vedere la carta dei vini, per favore?

DICA 11: UMA REFEIÇÃO ITALIANA
NOTA 11: UN PASTO ITALIANO

Uma refeição completa na Itália inclui um *antipasto*, um primeiro prato, chamado *primo*, que geralmente consiste em massa ou risoto, e um segundo prato, chamado *secondo*, de carne ou peixe, que eventualmente vem acompanhado de um *contorno*, que pode ser verdura ou salada. A salada não é servida antes, como entrada, e sim como acompanhamento do segundo prato. Você pode optar por pedir só o *primo* ou só o *secondo*. Não é necessário pedir os dois pratos. O *primo* e o *secondo* não são servidos ao mesmo tempo e os italianos não têm por hábito misturá-los. Em um restaurante, se você quiser comer uma massa e a pessoa que está com você quiser uma carne o garçom deverá ser avisado no momento do pedido que os dois pratos devem ser servidos juntos.

No restaurante: frases do garçom
Al ristorante: frasi del cameriere

Em quantas pessoas vocês estão?
In quanti siete?

Gostaria(m) de olhar o cardápio?
Vuole/Volete/Vogliono vedere il menu?*

Posso trazer o menu?
Vi porto il menu?

Gostaria de fazer o pedido?
Vuole ordinare?

Vocês estão prontos? Querem fazer o pedido?
Siete pronti? Volete ordinare?

O que posso trazer para vocês?
Cosa posso portarvi?

O que você(s) gostaria(m) de beber?
Da bere cosa preferisce/preferite/preferiscono?*

Volto já com suas bebidas.
Torno subito con le bevande.

Gostaria(m) de mais alguma coisa?
Vorrebbe/Vorreste/Vorrebbero altro?*

Como o senhor gostaria do seu filé?
Come vuole il Suo filetto, signore?

O que gostariam de sobremesa?
Cosa vorreste come dessert?

E de sobremesa?
Come dessert?

Volto já.
Torno subito.

ALIMENTAÇÃO

No restaurante: fazer o pedido
Al ristorante: ordinare

Com licença, estamos prontos para fazer o pedido.
Scusi, siamo pronti per ordinare.

Podemos fazer o pedido?
Possiamo ordinare?

Eu queria comer primeiro uma salada, por favor.
Vorrei mangiare prima di tutto un'insalata, per favore.

Veja *Cardápios*, p. 88 e *Glossário temático 2: Alimentação e bebidas*, p. 96

Como primeiro prato queremos uma sopa de legumes, por favor.
Di primo vorremmo una zuppa di verdura, per favore.

Você poderia nos trazer pão e manteiga/azeite, por favor?
Potrebbe portarci del pane e burro/olio di oliva, per favore?

* Em alguns restaurantes é usada a forma Loro (3ª pessoa do plural) como plural da forma de cortesia Lei.

Você pode nos trazer grissini/focaccia, por favor?
Potrebbe portarci dei grissini/della focaccia, per favore?

Vocês servem *brunch*?
Servite il brunch?

Vocês servem café da manhã?
Servite la prima colazione?

Vou querer o filé de frango com batatas.
Io vorrei filetto/petto di pollo con patate.

Veja *Cardápios*, p. 88 e *Glossário temático 2: Alimentação e bebidas*, p. 96

Vou querer o bife com batatas fritas, por favor.
Vorrei un filetto con contorno di patatine fritte, per cortesia.

Eu queria o meu bife malpassado/bem passado, por favor.
Vorrei la mia bistecca al sangue/ben cotta, per piacere.

Eu queria o espaguete com molho de tomate.
Vorrei gli spaghetti al sugo.

Vocês têm algum prato vegetariano?
Avete qualche piatto vegetariano?

Que tipos de risoto vocês têm?
I risotti come sono?

Vou querer uma pizza.
Vorrei una pizza.

No restaurante: pedir bebidas
Al ristorante: ordinare da bere

Eu queria uma coca gelada, por favor.
Vorrei una coca fredda, per favore.

Veja *Cardápios - bevande*, p. 94 e *Glossário temático 2: Alimentação e bebidas*, p. 96

Que tipos de refrigerante vocês têm?
Che bibite avete?*

Vocês têm suco de laranja feito na hora?
Avete della spremuta d'arancia?

Vocês têm suco de laranja/limão natural?
Avete delle spremute di arancia/limone?

* Não existe a palavra "refrigerante" em italiano. A palavra "bibite" é usada para bebidas não alcoólicas em geral, como sucos, refrigerantes etc.

Eu queria um suco de pêssego/pera.
Vorrei un succo di pesca/pera.

Vou tomar uma cerveja.
Prendo una birra.

Vocês têm chope?
Avete della birra alla spina?

Queríamos vinho tinto/branco, podemos ver a carta de vinhos, por favor?
Vorremmo un vino rosso/bianco, possiamo avere la carta dei vini, per piacere?

Eu queria um uísque, por favor.
Vorrei un whisky, per favore.

Que coquetéis vocês têm?
Quali cocktail avete?

No restaurante: outros pedidos e comentários
Al ristorante: Altre richieste e commenti

Você pode me trazer um canudinho, por favor?
Posso avere una cannuccia, per favore?

Você pode me trazer um copo com gelo, por favor?
Potrebbe portarmi un bicchiere con del ghiaccio, per favore?

Você pode nos trazer o sal/açúcar, por favor?
Potrebbe portarci il sale/lo zucchero, per favore?

Você poderia, por favor, nos trazer pão e manteiga?
Potrebbe portarci del pane e del burro, per favore?

Você pode nos trazer queijo ralado, por favor?
Possiamo avere del formaggio grattugiato, per favore?

Você pode me trazer outro(a) copo/garfo/faca/colher, por favor?
Potrebbe portarmi un altro bicchiere/un'altra forchetta/un altro coltello/un altro cucchiaio, per cortesia?

Você poderia me trazer um cinzeiro, por favor?
Posso avere un posacenere, per favore?

Você pode me arrumar palitos de dente?
Potrebbe portarmi degli stuzzicadenti?

Você pode nos trazer alguns guardanapos?
Può portarci dei tovaglioli?

Você poderia trocar a toalha de mesa, por favor?
Potrebbe cambiare la tovaglia, per cortesia?

Um café, por favor.
Un caffè, per favore.

Você pode me trazer um café espresso?
Potrebbe portarmi un caffè, per favore?

Onde é a toalete, por favor?
Dove è la toilette, per favore?

Como está a sua massa? Está boa?
Com`è la Sua pasta? È buona?

Qual é o seu prato favorito?
Qual è il Suo piatto preferito?

Comentários ao final da refeição
Commenti alla fine dei pasti

O almoço/jantar estava delicioso.
Il pranzo/La cena era squisito(a).

Não consigo comer mais nada, estou satisfeito.
Non riesco a mangiare altro, sono sazio/a posto.

Acho que vou pular a sobremesa.
Penso di saltare il dessert.

Vou tomar um sorvete de chocolate/baunilha.
Prendo un gelato al cioccolato/alla vaniglia .

Veja *Cardápios - dessert*, p. 95 e *Glossário temático 2: Alimentação e bebidas*, p. 96

Acho que só vou tomar um café.
Penso di prendere solo un caffè.

Veja *Cardápios - bevande*, p. 94 e *Glossário temático 2: Alimentação e bebidas*, p. 96

Vou tomar um café espresso.
Prendo un espresso.

Pode nos trazer a conta, por favor?
Potrebbe portarci il conto, per favore?

O serviço/A gorjeta está incluso(a)?
È compresa la mancia?

Acho que deveríamos dar uma gorjeta para o garçom.
Penso che dovremmo lasciare una mancia al cameriere.

Precisamos de um recibo.
Vorremmo la ricevuta.

Pode me trazer um recibo, por favor?
Potrebbe portarmi la ricevuta, per favore?

DICA 12: GORJETAS
NOTA 12: MANCIA

Coperto: item cobrado por pessoa nas contas dos restaurantes e que se refere ao serviço de arrumação e utilização da mesa e dos utensílios para a refeição (toalha, talheres, copos, guardanapos etc.). *Mancia:* ao contrário do Brasil, na Itália não é cobrada a gorjeta na conta. Fica a critério do cliente dá-la ou não e é o próprio cliente que estipula o valor.

Dialogo 9: Al bar

Cameriere: *Cosa posso portarvi, ragazzi?*
Turista 1: *Per me un tramezzino con mozzarella e funghi, per favore.*
Turista 2: *Io vorrei un panino con prosciutto e formaggio.*
Cameriere: *Ok. E da bere?*
Turista 1: *Avete delle spremute d'arancia?*
Cameriere: *Certo che ce le abbiamo.*
Turista 1: *Allora per me una spremuta d'arancia.*
Turista 2: *Io invece, prendo una birra media alla spina.*
Cameriere: *Ok! Torno subito con le bevande.*

Veja a tradução desse diálogo na p. 144

Cardápios
Menu

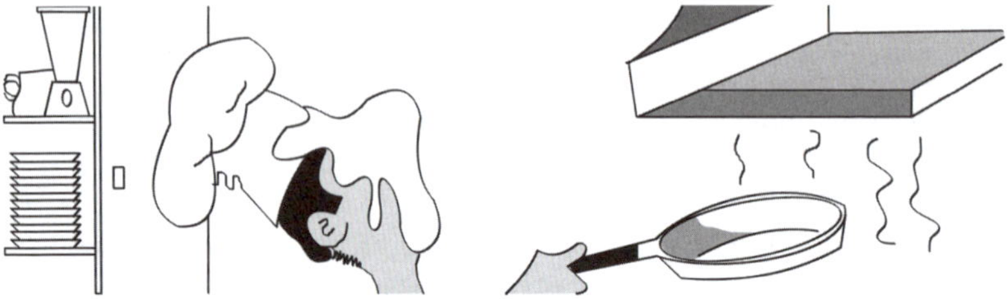

Veja nesta seção pratos típicos da *prima colazione* (café da manhã), *pranzo* (almoço), *spuntini* (lanches) e *cena* (jantar) em cardápios na Itália. Não deixe de ver também *Glossário temático 2: Alimentação e bebidas*, p. 96.

PRIMA COLAZIONE	
Brioche/cornetto	€ 0,80
Ciambella	€ 0,80
Crostata	€ 1,50
Paste	€ 2,00

Brioche/cornetto: pãozinho em forma de chifre, com ou sem recheio de creme ou geleia

Ciambella: rosca doce

Crostata: torta coberta com geleia de frutas

Fette biscottate: torradas

Pane e burro: pão com manteiga

Pane e formaggio: pão com queijo

Pane e marmellata: pão com geleia

Pane e nutella: pão com pasta de avelãs e chocolate

Pane e prosciutto: pão com presunto

Pane integrale: pão integral

Paste: doces em geral para acompanhar um café

Uova strapazzate: ovos mexidos

Pane: pão

Cracker, galletta: biscoito de água e sal
Biscotto: biscoito doce, bolacha
Marmellata: geleia
Burro: manteiga
Miele: mel
Omelette/frittata al formaggio: omelete de queijo
Cereali: cereais

PIATTI FREDDI E SPUNTINI

Bresaola con rughetta e parmigiano	€ 6,50
Prosciutto e melone	€ 6,00
Pizzetta rossa	€ 3,00
Pizza al trancio/al taglio	€ 3,50
Focaccia/pizza bianca	€ 2,00
Focaccia farcita (prosciutto/formaggio/salame)	€ 3,50
Arancino	€ 2,50
Panzerotto	€ 3,00
Tramezzino	€ 2,50
Toast al prosciutto e formaggio	€ 2,50
Panini	€ 3,50
Selezione di formaggi	€ 8,50
Hamburger	€ 3,50
Hamburger e patate fritte	€ 5,00
Hot dog e patate fritte	€ 4,50

Bresaola con rughetta: *bresaola* fatiada com rúcula
Prosciutto e melone: presunto cru com fatias de melão
Pizzette: minipizzas com coberturas variadas
Pizza al trancio: pizza de massa grossa em pedaços
Focaccia: salgado feito com massa com recheio ou com cobertura
Arancino: bolinho de arroz com recheio variado e frito à milanesa
Panzerotto: massa frita com recheio salgado ou doce
Tramezzino: sanduíche com várias camadas de pão de forma com recheios variados cortado em triângulo
Toast al prosciuto e formaggio: misto-quente em pão de forma

Panini: sanduíches

Selezione di formaggi: seleção de queijos

Hamburger e patate fritte: hambúrguer com batatas fritas

Hot dog e patate fritte: cachorro-quente com batatas fritas

Tonno: atum

Mozzarella: muçarela

Pomodori: tomates

Funghi: cogumelos

Prosciutto: presunto

Spinaci: espinafre

Uova: ovos

Melenzane: berinjelas

Peperoni: pimentões

Salsiccia: linguiça

Würstel: salsicha

Obs.: qualquer sanduíche pode ser aquecido, basta pedir *caldo* ou *riscaldato*.

PRANZO & CENA

ANTIPASTI

Cocktail di gamberi	€ 8,00
Antipasti misti di mare	€ 9,00
Alici marinate	€ 6,50
Cozze gratinate	€ 5,00
Affettati misti	€ 6,00
Prosciutto e melone	€ 6,00
Bresaola rucola e grana	€ 6,00
Bruschetta classica	€ 4,50
Bruschetta ai porcini	€ 6,50
Crostini alla toscana	€ 6,00
Parmigiana di melanzane	€ 6,00

PRIMI PIATTI

Zuppa di verdure	€ 6,00
Zuppa di ceci	€ 6,00
Pasta e fagioli	€ 6,00

Risotto alla marinara	€ 8,00
Risotto ai funghi porcini	€ 7,00
Spaghetti alle vongole	€ 8,00
Spaghetti alla carbonara	€ 5,00
Penne all'arrabiata	€ 5,00
Ravioli di ricotta e spinaci	€ 7,00
Gnocchi di patate al sugo	€ 7,00
Lasagne alla bolognese	€ 6,00

SECONDI PIATTI

CARNE

Scaloppine di vitello al vino bianco o limone	€ 7,00
Filetto di manzo alla griglia	€ 12,00
Cotoletta alla milanese	€ 7,00
Saltimbocca alla romana	€ 8,00
Bistecca alla fiorentina	€ 3,50 (etto)*
Braciole di maiale	€ 6,50
Pollo arrosto con patate	€ 7.50
Scaloppe di petto di pollo all'arancia	€ 6,00
Coniglio alla cacciatora	€ 9,50
Cosciotto di agnello farcito	€ 9,00

PESCE

Grigliata mista di pesce	€ 13,00
Trancia di pesce spada alla griglia	€ 12,00
Filetto di orata all'amalfitana	€ 13,00
Scampi in salsa di capperi	€ 10,50
Spiedoni di gamberi e calamari	€ 12,00
Cozze alla marinara	€ 10,50
Baccalà alla veneta	€ 12,00
Sogliola al limone	€ 10,50

CONTORNI

Insalata mista	€ 3,00
Insalata greca	€ 6,00

Insalata mediterranea	€ 6,00
Insalata caprese	€ 5,00
Patatine fritte	€ 3,00
Patate al forno	€ 3,00
Verdure alla griglia	€ 5,50
Verdure cotte miste	€ 3,00

** 1 etto = 100 gramas*

Antipasti: entradas

Cocktail di gamberi: coquetel de camarões

Antipasto misto di mare: entrada de frutos do mar

Alici marinate: aliches marinadas

Cozze gratinate: mariscos gratinados

Affettati misti: frios mistos

Prosciutto e melone: presunto e melão

Bresaola, rucola e grana: embutido fatiado coberto com rúcula e queijo tipo parmesão

Bruschetta classica: fatia de pão ligeiramente tostada, temperada com alho esfregado e coberta com tomates picados temperados com sal e manjericão

Bruschetta ai porcini: fatia de pão feita como a *bruschetta classica* e coberta com fungos *porcini*

Crostini alla toscana: fatia de pão tostado coberta com patê de fígado

Parmigiana di melanzane: berinjela à parmegiana

Primi piatti: primeiros pratos

Zuppa di verdure: sopa de verduras e legumes

Zuppa di ceci: sopa de grão-de-bico

Pasta e fagioli: espécie de sopa com feijões e macarrão

Risotto alla marinara: risoto com frutos do mar

Risotto ai funghi porcini: risoto com fungos *porcini*

Spaghetti alle vongole: espaguetes com vôngoles

Spaghetti alla carbonara: espaguetes preparados com ovos e bacon

Penne all`arrabiata: macarrão *penne* com molho apimentado

Ravioli di ricotta e spinaci: raviólis recheados com ricota e espinafre

Gnocchi di patate al sugo: nhoques de batatas ao molho de tomate

Lasagne alla bolognese: lasanha à bolonhesa
Secondi piatti: segundos pratos
Carne: carne
Scaloppine di vitello al vino bianco o limone: escalopes de vitela ao vinho branco ou limão
Filetto di manzo alla griglia: filé de carne de vaca grelhado
Cotoletta alla milanese: costeleta de vitela à milanesa
Saltimbocca alla romana: fatias finas de carne de vitela, com adição de presunto cru, sálvia, vinho branco e pimenta-do-reino branca
Bistecca alla fiorentina: bisteca de carne de vaca com osso, cortada grossa, ligeiramente grelhada e pedida por peso
Braciole di maiale: bifes de carne de porco preparados abertos ou enrolados com temperos
Pollo arrosto con patate: frango assado com batatas
Scaloppe di petto di pollo all' arancia: escalope de peito de frango na laranja
Coniglio alla cacciatora: coelho à caçadora
Cosciotto di agnello farcito: pernil de carneiro recheado
Pesce: peixe
Grigliata mista di pesce: misto de peixe grelhado
Trancia di pesce spada alla griglia: posta de peixe-espada na grelha
Filetto di orata all'amalfitana: filé de *orata* à amalfitana
Scampi in salsa di capperi: lagostim ao molho de alcaparras
Spiedoni di gamberi e calamari: espetos de camarões e lulas
Cozze alla marinara: mariscos à marinheira
Baccalà alla veneta: bacalhau à veneta
Sogliola al limone: linguado ao limão
Contorni: acompanhamentos
Insalata mista: salada mista
Insalata greca: salada grega (queijo feta, azeitonas pretas, tomate cereja, folhas verdes e rúcula)
Insalata mediterranea: salada mediterrânea (tomate cereja, atum, milho, azeitonas, folhas verdes e rúcula)
Insalata caprese: salada *caprese*
Patatine fritte: batatas fritas
Patate al forno: batatas ao forno
Verdure alla griglia: legumes e verduras na grelha
Verdure cotte miste: legumes e verduras mistas cozidas

BEVANDE	
Caffè espresso	€ 0,80
Cappuccino	€ 1,30
Caffè macchiato	€ 0,80
Caffè freddo	€ 1,20
Caffè americano	€ 1,20
Caffè corretto (con liquore, ottimo dopo pasto)	€ 2,00
Decaffeinato	€ 1,20
Latte	€ 1,50
Latte macchiato	€ 1,50
Caffelatte	€ 1,50
Cioccolata calda	€ 2,50
Tè caldo	€ 1,80
Tè freddo	€ 2,00
Spremuta (arancia, pompelmo)	€ 4,00
Succo di frutta	€ 2,50

Cioccolata calda: chocolate quente
Yogurt: iogurte
Yogurt alla frutta: iogurte de frutas
Spremuta: suco de fruta fresca
Spremuta d' arancia: suco de laranja
Spremuta di pompelmo: suco de toranja
Succo: suco
Succo di pesca: suco de pêssego
Succo di pera: suco de pera
Te: chá
Te caldo/freddo: chá quente/frio
Limonata: limonada
Bevanda analcolica: refrigerante
Birra: cerveja
Birra alla spina: chope
Vino: vinho
Vino bianco: vinho branco
Vino rosso: vinho tinto
Spumante: vinho frisante

O café é uma tradição na Itália e o italiano é muito exigente com a sua escolha. O *caffè* mais tradicional é o *espresso* curto, mas nos bares italianos são servidos os mais variados e sofisticados tipos de café, como:

Espresso: *espresso* curto;
Ristretto: muito concentrado;
Lungo ou alto: pouco concentrado;
Macchiato: com pouco leite;
Schiumato: com espuma de leite;
Marocchino: cappuccino com chocolate em pó;
D'orzo: de cevada;
Corretto: com alguma bebida alcoólica;
Decaffeinato: descafeinado;
Cappuccino: com densa espuma de leite;
Caffelatte: café com um pouco de leite;
Latte macchiato: leite com um pouco de café.

Nota: normalmente o café é tomado no balcão. Se você se sentar, mesmo sem ser servido, provavelmente pagará o dobro por ocupar a mesa.

DESSERT

Crème caramel	€ 3,50
Macedonia	€ 3,50
Torta di cioccolato	€ 3,50
Tiramisù	€ 3,50
Panna cotta	€ 3,50
Zuppa inglese	€ 3,50
Gelato al cioccolato	€ 1,50
Gelato alla vaniglia	€ 1,50
Torta della nonna	€ 2,50
Torta di mele	€ 2,50
Frutta di stagione	€ 4,00

Dessert: sobremesa(s)
Torta: bolo
Torta di cioccolato: bolo de chocolate
Dolci: doces
Tiramisù: doce com biscoitos banhados no café, creme e chocolate
Panna cotta: doce de creme de leite coberto com calda de frutas
Zuppa inglese: doce tipo pavê com biscoitos banhados em licor
Budino: pudim
Crème caramel: pudim de caramelo
Macedonia: salada de frutas
Gelato: sorvete (*sabor* na Itália é chamado de *gusto*)
Gelato al cioccolato: sorvete de chocolate
Gelato alla vaniglia/alla fragola: sorvete de creme/de morango
Torta della nonna: torta da nonna (recheada de creme)
Torta di mele: torta de maçãs
Torta di formaggio/cheesecake: torta de queijo
Frutta di stagione: frutas da estação

CAFÉ DA MANHÃ *Prima colazione*

Açúcar: *zucchero*
Açúcar mascavo: *zucchero grezzo*
Adoçante: *dolcificante*
Biscoito de água e sal: *cracker, galletta*
Biscoito doce: *biscotto*
Bolacha: *biscotto*
Bolinho (geralmente com frutas): *tortina, muffin*
Bolo: *torta*
Bolo de chocolate: *torta al cioccolato*
Brioche: *brioche, cornetto*
Café: *caffè*
Café americano (longo e mais fraco): *caffè americano*
Café com leite: *caffelatte*
Café com um pouco de leite: *caffè macchiato*
Café espresso: *caffè espresso*
Cappuccino (café com leite espumoso): *cappuccino*
Cereal: *cereali*
Chá: *te*
Chocolate quente: *cioccolata calda*

Croissant: *croissant*
Doces em geral para acompanhar um café: *paste*
Doces em geral feitos com massa doce: *pasticcini*
Geleia: *marmellata*
Geleia de morango: *marmellata di fragola*
Geleia de pêssego: *marmellata di pesca*
Iogurte: *yogurt*
Iogurte de frutas: *yogurt alla frutta*
Leite: *latte*
Leite com café: *latte macchiato*
Leite desnatado: *latte scremato*
Leite em pó: *latte in polvere*
Leite integral: *latte intero*
Leite semidesnatado: *latte parzialmente scremato*
Manteiga: *burro*
Margarina: *margarina*
Mel: *miele*
Ovos com bacon: *uova alla pancetta*
Ovos com presunto: *uova al prosciutto*
Ovo cozido: *uovo sodo*
Ovos mexidos: *uova strapazzate*
Ovo quente: *uovo alla coque*
Panqueca: *crêpe, pancake*
Pão: *pane*
Pão branco: *pane bianco*
Pão com manteiga: *pane e burro*
Pão de centeio: *pane di segale*
Pão em forma de flor: *rosetta*
Pão integral: *pane integrale*
Pão redondo: *pagnotta*
Pão tostado: *pane tostato*
Pasta de avelãs com chocolate: *nutella*
Presunto: *prosciutto*
Queijo: *formaggio*
Queijo *cottage*: *formaggio fresco in fiocchi*
Queijo magro: *formaggio magro*
Requeijão: *cream cheese, crema di formaggio*
Ricota: *ricotta*
Rosquinha de massa frita coberta de açúcar: *ciambella*
Suco: *succo*
Suco de abacaxi: *succo di ananas*
Suco de *grapefruit*/toranja: *spremuta di pompelmo*
Suco de fruta fresca (laranja e toranja): *spremuta*
Suco de laranja: *spremuta d'arancia*
Suco de pêssego: *succo di pesca*
Torrada: *fette biscottate*
Torta coberta com geleia de frutas: *crostata*

ALMOÇO E JANTAR *Pranzo e Cena*

Acompanhamento (prato): *contorno*
Amendoim: *arachidi*
Aperitivo (bebida): *aperitivo*
Aperitivo (petiscos): *stuzzichini, salatini*
Arroz com feijão: *riso e fagioli*
Azeitonas: *olive*
Batata frita: *patatine fritte*
Comida italiana: *cibo italiano*
Coquetel de camarões: *cocktail di*

ALIMENTAÇÃO

gamberetti

Espaguete: *spaghetti*

Espaguete com almôndegas: *spaghetti con polpette*

Massa: *pasta*

Muçarela: *mozzarella*

Lasanha: *lasagne (sempre usada no plural)*

Omelete: *frittata*

Ovos: *uova*

Ovos cozidos: *uovo sodo*

Ovos fritos: *uova fritte*

Ovos mexidos: *uova strapazzate*

Ovos de codorna: *uovo di quaglia*

Patê: *pâté*

Patê de atum: *pâté di tonno*

Patê de fígado: *pâté di fegato*

Patê de queijo: *pâté di formaggio*

Queijo parmesão: *formaggio parmigiano*

Queijo ralado: *formaggio grattugiato*

Queijos sortidos: *assortito di formaggio*

Salada de alface: *insalata di lattuga*

Salada de alface com *croutons* **(torradinhas de pão), queijo ralado, frango fatiado e molho mostarda:** *insalata cesare*

Salada de alface e tomate: *insalata di lattuga e pomodoro*

Salada de tomates e muçarela em fatias com manjericão: *insalata caprese*

Sopa: *minestra, zuppa*

Sopa de legumes: *zuppa di verdura*

Suflê: *soufflé*

Suflê de espinafre: *soufflé di spinaci*

Suflê de queijo: *soufflé di formaggio*

Tempero: *condimenti*

Uma refeição leve: *un pasto leggero*

Uma refeição substancial: *un pasto abbondante*

CARNE *Carne*

Aves: *pollame*

Carne assada: *carne arrosto*

Carne bovina: *carne di manzo*

Carne de vaca: *carne di manzo*

Carne de porco: *carne di maiale*

Costeleta de porco: *costoletta di maiale*

Carne moída: *carne macinata*

Carneiro: *carne di montone*

Cordeiro: *carne di agnello*

Codorna: *quaglia*

Coelho: *coniglio*

Bife: *bistecca*

Bife de frango: *filetto di pollo*

Frango: *pollo*

Frango assado: *pollo arrosto*

Linguiça: *salsiccia*

Pato: *anatra*

Peito de frango: *petto di pollo*

Peru: *tacchino*

Peru assado: *tacchino arrosto*

Vitela: *vitello*

FRUTOS DO MAR *frutti di mare*

Anchovas: *acciughe*
Atum: *tonno*
Bacalhau: *baccalà*
Camarão: *gambero*
Camarão frito: *gambero fritto, gamberetti fritti*
Lagosta: *aragosta*
Linguado: *sogliola*
Lula: (larga) *seppia;* **(longa)** *calamaro*
Marisco: *cozza*
Ostra: *ostrica*
Peixe: *pesce*
Polvo: *polpo*
Salmão: *salmone*
Salmão defumado: *salmone affumicato*
Sardinha: *sardina*
Truta: *trota*

LEGUMES *Verdure*

Abóbora: *zucca*
Abobrinha: *zucchina*
Aipo: *sedano*
Alcachofra: *carciofo*
Alface: *lattuga*
Alho: *aglio*
Alho-poró: *porro*
Aspargo: *asparago*
Azeitona: *oliva*
Batata: *patata*
Berinjela: *melanzana*
Beterraba: *barbabietola*
Brócolis: *broccoli*
Cebola: *cipolla*
Cenoura: *carota*
Cogumelo: *fungo*
Couve-flor: *cavolfiore*
Ervilhas: *piselli*
Espinafre: *spinaci*
Feijão: *fagiolo*
Lentilha: *lenticchia*
Milho cozido: *granoturco, mais cotto*
Nabo: *rapa*
Palmito: *cuore di palma*
Pepino: *cetriolo*
Pimentão: *peperone*
Rabanete: *ravanello*
Repolho: *cavolo*
Salsinha: *prezzemolo*
Tomate: *pomodoro*
Vagem: *fagiolino*

FRUTAS *Frutta*

Abacate: *avocado*
Abacaxi: *ananas*
Ameixa fresca: *prugna, susina*
Ameixa seca: *prugna secca*
Amora: *mora*
Banana: *banana*
Cereja: *ciliegia*
Coco: *noce di cocco*
Damasco: *albicocca*
Figo: *fico*
Goiaba: *guaiava*

Kiwi: *kiwi*
Laranja: *arancia*
Limão: *limone*
Maçã: *mela*
Manga: *mango*
Maracujá: *frutto della passione, granadiglia*
Melancia: *anguria, cocomero*
Melão: *melone*
Mexerica: *mandarino*
Mirtilo: *mirtillo*
Morango: *fragola*
Papaia: *papaia*
Pêssego: *pesca*
Pera: *pera*
Toranja: *pompelmo*
Uvas: *uva*
Uva-passa: *uvetta, uva passa*
Caroço de fruta: *seme se for pequeno ou nocciolo se for grande*

SOBREMESAS *Dessert*

Bolo: *torta*
Bolo de chocolate: *torta di cioccolato*
Doce de biscoitos embebidos no café, creme e chocolate: *tiramisù*
Doce de creme de leite coberto com calda de frutas: *panna cotta*
Doce tipo pavê com biscoitos banhados em licor: *zuppa inglese*
Pudim de caramelo: *crème caramel*
Salada de frutas: *macedonia*
Sorvete: *gelato*
Sorvete de creme: *gelato alla vaniglia*
Sorvete de chocolate: *gelato al cioccolato*
Torta de queijo cremoso: *cheesecake*
Torta de maçã: *torta di mele*

FRUTAS SECAS E CASTANHAS *Frutta secca e noci*

Ameixa seca: *prugna secca*
Amêndoa: *mandorla*
Amendoim: *arachide*
Avelã: *nocciola*
Castanha: *castagna*
Castanha de caju: *anacardio*
Castanha-do-pará: *noce del Brasile, mandorla brasiliana*
Tâmara: *dattero*
Uva-passa: *uvetta, uva passa*

TEMPEROS E CONDIMENTOS *Salsa e condimenti*

Açafrão: *zafferano*
Alcaparra: *cappero*
Alecrim: *rosmarino*
Apimentado: *pepato*
Azeite: *olio d'oliva*
Canela: *cannella*
Condimento: *condimento*
Condimentado: *aromatizzato, piccante, salace*
Cravo: *chiodo di garofano*
Ketchup: *ketchup*
Maionese: *maionese*
Molho: *sugo*
Molho de tomate: *sugo di pomodoro*

Manjericão: *basilico*
Molho condimentado: *salsa*
Mostarda: *senape*
Orégano: *origano*
Picante: *piccante, pepato*
Pimenta: *pepe*
Sal: *sale*
Tempero: *condimento*
Vinagre: *aceto*

LANCHES *Spuntino/merenda*

Cachorro-quente: *hot-dog*
Hambúrguer: *hamburger*
Hambúrguer de frango: *hamburger di pollo*
Hambúrguer vegetariano: *hamburger vegetariano*
Misto-quente: *toast con formaggio e prosciutto*
Pizza: *pizza*
Pizza em fatias: *pizza al taglio*
Sanduíche: *panino*
Sanduíche de presunto e queijo: *panino al prosciutto e al formaggio*
Sanduíche de atum e tomate: *panino al tono e al pomodoro*
Sanduíche de salame: *panino al salame*
Sanduíche de pão de forma em camadas com vários recheios: *tramezzino*
Sanduíche enrolado: *piadina*

BEBIDAS *Bevande*

Água: *acqua minerale naturale*
Água com gás: *acqua minerale gassata*
Bebida sem álcool: *analcolico*
Café com um pouco de leite: *caffè macchiato*
Café com leite: *caffelatte*
Café *espresso*: *caffè espresso*
Café longo: *caffè lungo*
Café com bebida alcoólica: *caffè corretto*
Café curto: *caffè ristretto*
Café descafeinado: *caffè decaffeinato*
Café de cevada: *caffè d'orzo*
Cappuccino: *cappuccino*
Chá: *tè*
Chocolate: *cioccolata*
Chocolate quente: *cioccolata calda*
Leite: *latte*
Leite com um pouco de café: *latte macchiato*
Leite quente/frio: *latte caldo/freddo*
Limonada: *limonata*
Mocaccino: *caffè marocchino*
Refrigerante: *bevanda analcolica*
Suco: *succo*
Suco natural: *spremuta*

BEBIDAS ALCOÓLICAS *Bevande alcoliche*

Cerveja: *birra*
Campari: *campari*
Chope: *birra alla spina*
Conhaque: *cognac*
Drinque feito com rum e suco de frutas: *daiquiri*
Drinque feito com suco de tomate e vodca: *bloody mary*
Drinque feito com tequila e suco de limão-galego ou limão taiti: *margarita*
Gim: *gin*
Grapa: *grappa*
Martíni seco: *dry martini*
Vinho: *vino*
Vinho branco: *vino bianco*
Vinho tinto: *vino rosso*
Vodca: *vodka*
Uísque: *whisky*
Uísque com gelo: *whisky con ghiaccio*
Uísque puro: *whisky liscio*

Atrações Turísticas & Lazer e Diversão

Dialogo 10: Quali posti dobbiamo visitare?

Turista: *Salve! Vorrei fare una passeggiata turistica. Può consigliarmi alcuni posti interessanti?*

Reception: *Certo signora. C'è molto da vedere in questa città. Preferisce una passeggiata nel verde o nel centro storico?*

Turista: *Mi piacerebbe conoscere il centro storico.*

Reception: *Ok, Le farò vedere alcuni posti qui sulla cartina. Le consiglio di visitare questa piazza medievale e le sue antiche vie... (voz sumindo)*

Veja a tradução desse diálogo na p. 144

Planejar um passeio turístico pela cidade
Organizzare una gita turistica in città

Gostaríamos de fazer um passeio turístico, você recomenda algum lugar em especial?
Vorremmo fare un giro turistico, ci consiglia qualche località particolare?

O que há de interessante para ver?
Cosa c'è di interessante da vedere?

Há um posto de informações turísticas aqui perto?
C'è un ufficio informazioni turistiche qui vicino?

Você pode nos dar um mapa turístico?
Può darci una cartina turistica?

Você pode recomendar algum passeio turístico pela cidade?
Ci può consigliare una gita turistica per la città?

Quanto custa este passeio?
Quanto costa questa gita?

Em quanto tempo se faz este passeio?
In quanto tempo si fa questa gita?

De onde parte a excursão?
Da dove parte l'escursione?

Para que hora está marcada a saída da excursão?
A che ora è fissata la partenza della gita?

A que horas estaremos de volta?
A che ora saremo di ritorno/ritorneremo?

Vamos ter tempo livre para fazer compras?
È previsto del tempo libero per fare shopping?

O guia fala português/espanhol/inglês?
La guida parla portoghese/spagnolo/inglese?

Você pode me mostrar o lugar no mapa?
Potrebbe mostrarmi il posto sulla cartina?

Fazer um passeio turístico pela cidade

Fare una gita turistica in città

Qual a distância até a catedral/o castelo/o palácio/a estátua/a fonte?
Quanto è lontano il duomo/il castello/il palazzo/la statua/la fontana?

Podemos parar aqui para tirar fotos?
Possiamo fermarci qui per fare delle foto?

Aqui é proibido fotografar?
Qui è proibito fotografare?

Você poderia, por favor, tirar uma foto nossa?
Potrebbe, per cortesia, farci una foto?

Há lojas de suvenir aqui perto?
Ci sono negozi di souvenir qui vicino?

Há banheiro aqui perto?
C'è una toilette qui vicino?
Quanto tempo vamos ficar aqui?

Quanto tempo rimarremo qui?
A catedral/o castelo/o palácio/o museu está aberto ao público?

Il duomo/il castello/il palazzo/il museo è aperto al pubblico?
Quando foi construído(a)?

Quando è stato(a) costruito(a)?

Vocês têm guias impressos em português/espanhol/inglês?
Avete delle guide stampate in portoghese/spagnolo/inglese?

Há acesso para deficientes?
C'è l'accesso ai disabili?

Quanto custa a entrada?
Quanto viene/costa il biglietto d'ingresso?

Tem desconto para crianças/estudantes/grupos/idosos?
C'è lo sconto per bambini/studenti/gruppi/anziani?

TELEFONE PARA CONTATAR A POLÍCIA, EMERGÊNCIAS MÉDICAS, BOMBEIROS E OUTRAS EMERGÊNCIAS

ATRAVESSE NA FAIXA

CUIDADO - PISO MOLHADO

EXTINTOR

HIDRANTE

EQUIPAMENTO ANTI-INCÊNDIO

PROIBIDO O TRÂNSITO DE PEDESTRES

INTERRUPTOR ELÉTRICO GERAL - ACIONAR SOMENTE EM CASO DE INCÊNDIO

SAÍDA DE EMERGÊNCIA

ESCADA DE EMERGÊNCIA

ENFERMARIA

PROIBIDA A ENTRADA DE PESSOAS NÃO AUTORIZADAS

PROIBIDO FUMAR

PROPRIEDADE PRIVADA -
PROIBIDA A ENTRADA DE PESSOAS NÃO AUTORIZADAS

PROIBIDO JOGAR LIXO

CUIDADO - NÃO ENTRE.

CAIXA ELETRÔNICO 24 HORAS

Acampamento: *campeggio, camping*
Acampar: *fare campeggio, campeggiare*
Aldeia: *piccolo paese, paesino di campgna*
Alpinismo: *alpinismo*
Aplaudir, ovacionar: *applaudire*
Área para piquenique: *area per picnic*
Areia: *sabbia*
Asa-delta: *deltaplano*
Atletismo: *atletica*
Automobilismo: *automobilismo*
Barraca: *tenda*
Basílica: *basilica*
Basquetebol: *pallacanestro*
Beisebol: *baseball*
Biblioteca: *biblioteca*
Boate: *nightclub*
Boliche: *bowling*
Boxe: *pugilato, boxe*
Bronzeado: *abbronzatura*
Bronzeado(a) (adj.): *abbronzato(a) (agg.)*
***Bungee jumping*:** *bungee jumping*
Cachoeira: *cascata*
Camping: *campeggio*
Canoagem: *canottaggio*
Cassino: *casinò*
Castelo: *castello*
Catedral: *duomo*
Cavalo: *cavallo*
Caverna: *caverna*
Cemitério: *cimitero*
Ciclismo: *ciclismo*
Ciclovia: *ciclovia*
Cinema (sala): *cinema*
Circo: *circo*
Colina: *collina*
Corrida: *corsa*
Cruzeiro: *crociera*

Entrar na fila: *fare la fila*
Escalar montanhas: *scalare montagne*
Esportes radicais: *sport radicali*
Esqui: *Sci*
Estádio: *stadio*
Estátua: *statua*
Fazer trilha: *escursionismo*
Fila: *fila, coda*
Filme: *film*
Floresta: *foresta*
Futebol: *calcio*
Futebol americano: *football americano*
Galeria de arte: *galleria d'arte*
Golfe: *golf*
Guarda-sol: *ombrellone*
Handebol: *pallamano*
Hipismo: *ippica*
Hipódromo: *ippodromo*
Hóquei: *hockey*
Igreja: *chiesa*
Jardim botânico: *giardino botanico*
Jet ski: *acquascooter*
Jogar (esportes, jogos, em cassinos): *giocare*
Karatê: *karate, karatè*
Lago: *lago*
Lanterna: *lanterna*
Levantamento de peso: *sollevamento pesi*
Mergulhar: *fare immersione, tuffarsi*
Mergulho (submarino): *immersione*
Mergulho (salto): *tuffo*
Mesquita: *moschea*
Montanha-russa: *montagne russe*
Monumento: *monumento*
Morro: *collina*
Mosteiro: *monastero*
Museu: *museo*
Natação: *nuoto*
Óculos de sol: *occhiali da sole*
Onda: *onda*
Palco: *palcoscenico*
Palácio: *palazzo*
Parque de diversões: *luna park*
Passar férias: *passare le vacanze, trascorrere le vacanze, villeggiare*
Passeio de barco: *giro in barca*
Patins (para andar no gelo): *pattini da ghiaccio*
Patins (de rodas): *pattini a rotelle*
Patinação: *pattinaggio*
Patinação no gelo: *pattinaggio sul ghiaccio*
Peça teatral: *spettacolo teatrale*
Penhasco: *promontorio*
Pesca: *pesca*
Ponte: *ponte*
Praia: *spiaggia*
Prancha de surfe: *surf*
Protetor solar: *filtro solare*
Quadra de esportes: *campo di gioco*
Quadra de tênis, basquete, etc.: *campo da tennis, pallacanestro, ecc.*
Quadriciclo: *quadriciclo*
Rafting: *rafting*
Rapel: *discesa in corda*
Shopping: *centro commerciale*
Show, espetáculo: *spettacolo*
Show (de música, cantores): *concerto*
Sinagoga: *sinagoga*
Skatismo, skate: *skateboard*
Squash: *squash*

Surfar: *surfare*
Surfe: *surfing*
Taco de golfe: *mazza da golf*
Taco de hóquei: *mazza da hockey*
Taco de sinuca: *stecca da biliardo*
Teatro: *teatro*
Tênis: *tennis*
Tênis de mesa: *tennis da tavolo, ping-pong*
Tomar banho de sol: *prendere sole*
Torre: *torre*
Trailer (puxado por outro veículo): *roulotte*
Trailer (veículo único motorizado): *camper*
Trilha (esporte): *escursionismo*
Trilha (caminho): *sentiero*
Vaiar: *fischiare, inveire*
Vara de pescar: *canna da pesca*
Velejar: *veleggiare*
Voleibol: *pallavolo*
Windsurfe: *windsurfing*
Xadrez: *scacchi*
Zoológico: *zoo*

Lazer e diversão: Vocabulário & expressões em uso
Svago e divertimento: Vocabolario & espressioni usuali

ACAMPAR: ***fare campeggio***

A Bruno e Livia piaceva fare campeggio quando erano giovani.
Bruno e Livia gostavam de acampar quando eram jovens.

BRINQUEDOS EM PARQUE DE DIVERSÃO: ***giochi e giostre***

Sai quante giostre differenti ci sono in questo luna park?
Você sabe quantos brinquedos diferentes há neste parque de diversões?

BRONZEADO: ***abbronzatura***

Che bella abbronzatura! Dove hai preso tutto questo sole?
Que bronzeado bonito! Onde você tomou todo esse sol?

BRONZEAR-SE: ***abbronzarsi***

"C'è un bel sole oggi! Vado a sdraiarmi vicino alla piscina per abbronzarmi", ha detto Rita agli amici.
"Hoje tem um belo sol! Vou me deitar à beira da piscina para me bronzear", disse Rita aos amigos.

CRUZEIRO: ***crociera***

Gianni e Ornella hanno fatto una crociera in Grecia nella loro luna di miele.

Gianni e Ornella fizeram um cruzeiro na Grécia na lua de mel deles.

DESCANSAR, RELAXAR: ***riposarsi, rilassarsi***

Hai lavorato troppo questi ultimi tempi. Perché non prendi qualche giorno di vacanza per rilassarti?

Você tem trabalhado demais ultimamente. Por que não tira alguns dias de folga para relaxar?

JOGAR EM CASSINOS: ***giocare ai casinò***

Turisti di tutto il mondo vanno a Montecarlo per giocare al casinò.

Turistas do mundo inteiro vão a Monte Carlo para jogar no cassino.

PARQUE DE DIVERSÕES: ***luna park***

"Caspita, non sono mai stato in un luna park così grande!", ha detto Flavio agli amici.

"Puxa, eu nunca estive em um parque de diversões tão grande!", disse Flavio aos amigos.

PASSAR FÉRIAS: ***passare, trascorrere le vacanze***

Dove pensi di passare le prossime vacanze?

Onde você pensa em passar as próximas férias?

PESCAR: ***pescare***

Giancarlo ama pescare. Dice che per lui la pesca è una terapia.

Giancarlo adora pescar. Ele diz que para ele a pesca é uma terapia.

PROTETOR SOLAR: ***filtro solare***

Non dimenticarti di usare il filtro solare! Oggi il sole è molto forte.

Não se esqueça de usar protetor solar! Hoje o sol está muito forte.

TOMAR SOL: ***prendere sole***

Ho voglia di andare al mare a prendere sole.

Estou com vontade de ir à praia para tomar sol.

CAPÍTULO 6
CAPITOLO 6

Fazendo Compras

Dialogo 11: In un negozio di calzature

Commesso: *Desidera?*
Turista: *Sto cercando delle scarpe da tennis. C'è qualcosa in liquidazione?*
Commesso: *Ne abbiamo alcune con 30% di sconto. Gliele faccio vedere. Da questa parte, per favore. Sono queste.*
Turista: *Ci sono nere?*
Commesso: *Penso di sì. Quale numero porta?*
Turista: *Quarantuno o quarantadue. Dipende dal modello.*
Commesso (cercando le scarpe da tennis): *OK! Ecco qua il quarantadue. Perché non lo prova?*
Turista: *Certo, grazie!*

Veja a tradução desse diálogo na p. 144

Comprar roupas e calçados: frases do balconista

Comprare/acquistare abbigliamento e calzature: frasi del(la) commesso(a)

Posso ajudá-lo?
Posso aiutarLa?

Em que posso ajudar?
Desidera?

Que tamanho você usa?
Che taglia porta?

Que número você calça?
Che numero porta?

Você gostaria de experimentá-lo/la/los/las?
Vuole provarlo/la/li/le?

Estamos sem./Não temos mais...
Abbiamo esaurito le sorte.

Vendemos todos(as)/Os(as)... acabaram.
Li(e) abbiamo venduti(e) tutti(e).../Non ne abbiamo più.

Não trabalhamos com esse produto.
Non abbiamo questo articolo.

Desconto de vinte por cento em toda mercadoria.
Sconto del venti per cento su tutta la merce.

Os sapatos femininos estão em promoção.
Le scarpe da donna sono in promozione.

Só um momento, vou pegá-lo/la/los/las.
Un attimo, vado a prenderglielo/la/li/le.

O provador fica ali.
Il camerino è lì.

A camisa serviu?
Le è andata bene la camicia?

Como ficou a camisa?
Come Le sta la camicia?

Precisa de mais alguma coisa?
Le occorre altro?

Quer que embrulhe para presente?
Vuole un pacchetto regalo?

Dinheiro ou cartão?
Contanti o carta di credito?

Comprar roupas e calçados: perguntas do cliente
Comprare abbigliamento e calzature: domande del cliente

Estou procurando roupas esportivas/um terno/gravatas/etc.
Avrei bisogno di abiti sportivi/un vestito/delle cravatte/ecc.

Estou procurando um paletó esporte/um terno/gravatas/etc.
Avrei bisogno di una giacca sportiva/un vestito/delle cravatte/ecc.

Você pode me mostrar as camisas/calças/etc.?
Potrebbe mostrarmi le camicie/i pantaloni/ecc.?

Estou procurando sapatos/tênis/sandálias/chinelos
Avrei bisogno di scarpe/scarpe da tennis/sandali/ciabatte.

Você pode me mostrar o vestido da vitrine?
Potrebbe mostrarmi il vestito che è in vetrina?

Gostaria de ver o vestido que está na vitrine.
Vorrei vedere il vestito che è in vetrina.

Você tem calças/camisas em liquidação?
Ci sono pantaloni/camicie in liquidazione?

O que mais está em liquidação?
C'è qualcos'altro in liquidazione?

Posso experimentá-lo/la/los/las?
Posso provarlo/la/li/le?

Posso provar um tamanho maior/menor?
Posso provare una taglia più grande/piccola?

Você tem um tamanho menor/maior?
C'è una taglia più grande/piccola?

Você tem essa peça em azul/verde/etc.?
C'è questo capo blu/verde/ecc.?

Você tem aquele vestido em vermelho?
C'è quel vestito, ma rosso?

Tem este suéter no meu tamanho?
C'è questo maglioncino nella mia taglia?

Tem este suéter no tamanho médio?
C'è la taglia media di questo maglioncino?

Onde é o provador?
Dov'è il camerino?

Tem espelho?
C'è uno specchio?

Quanto é esta camisa/este vestido/etc.?
Quanto costa/viene questa camicia/questo vestito/ecc.?

Pode embrulhar para presente?
Mi può fare un pacchetto regalo?

Você tem camisas de manga curta?
Ci sono camicie a maniche corte?

A que horas vocês fecham?
A che ora chiudete?

Vocês abrem no domingo?
È aperto la domenica?

Vocês me dão um desconto?
Me lo fate uno sconto?

Você pode me dar um recibo, por favor?
Mi dà la ricevuta/lo scontrino, per favore?

Comprar roupas e calçados: comentários do cliente
Comprare abbigliamento e calzature: commenti del cliente

Só estou olhando. Obrigado.
Do solo un'occhiata. Grazie.

Está pequeno(a)/grande demais.
È troppo piccolo(a)/grande.

Não serve.
Non mi sta bene.

Estes sapatos estão apertados.
Queste scarpe sono strette.

Esta camisa está folgada/apertada.
Questa camicia è larga/stretta.

Eu normalmente uso tamanho pequeno/médio/grande/GG.
*Porto in genere la taglia piccola/media/grande.**

* Fique também atento às abreviações muito usadas nas etiquetas de roupas: **S** - piccolo; **M** - medio; **L** - grande; **XL** - extra grande.

Não sei o meu tamanho.
Non so qual è la mia taglia.

Fazer compras no supermercado
Fare la spesa al supermercato

Onde estão os carrinhos do supermercado?
Dove sono i carrelli del supermercato?

Onde eu encontro as cestas para fazer compras?
Dove si trovano i cestini per la spesa?

Você sabe onde fica a seção de frutas?
Sa dirmi dov'è il reparto della frutta?

Vocês vendem cartões-postais/suvenires aqui?
Ci sono cartoline/souvenirs da vendere qui?

Onde encontro pilhas?
Dove posso trovare delle pile?

Fica no corredor três.
È nella terza corsia.

Onde fica a seção de padaria?
Dov'è il reparto panetteria?

Vocês vendem remédios aqui?
Vendete delle medicine qui?

Onde posso descarregar as fotos da memória da máquina fotográfica?
Dove posso scaricare le foto della memoria della macchina fotografica?

Fazer compras: Vocabulário & expressões em uso
Fare acquisti: Vocabolario & expressioni usuali

CARTÃO DE CRÉDITO: ***carta di credito***
Posso pagare con la carta di credito?
Posso pagar com cartão de crédito?

CÓDIGO DE BARRAS: ***codice a barre***

Tutti i prodotti devono portare il codice a barre.

Todos os produtos devem ter o código de barras.

CAIXA ELETRÔNICO DE BANCO: ***bancomat***

Devo trovare una bancomat per ritirare un po' di soldi.

Preciso achar um caixa eletrônico para retirar um pouco de dinheiro.

CORREDOR (EM SUPERMERCADOS, DROGARIA ETC.): ***corsia***

Puoi trovare il filo dentale e il dentifricio nella corsia cinque.

Você pode encontrar fio dental e pasta de dente no corredor cinco.

DESCONTO: ***sconto***

"Possiamo concedere sconti per spese superiori ai cento euro", ha detto la commessa a Luca.

"Podemos conceder descontos para compras acima de cem euros", a vendedora disse para Luca.

EXPERIMENTAR, PROVAR: ***provare***

"Perché Lei non lo/la/li/le prova?", ha detto il commesso a Carlo.

"Por que o senhor não o/a/os/as experimenta?", o atendente disse a Carlo.

HORÁRIO DE FUNCIONAMENTO: ***orario di funzionamento***

Qual è l'orario di funzionamento del negozio?

Qual é o horário de funcionamento da loja?

PRATELEIRA: ***scaffale***

"Penso che il filtro solare si trovi in quegli scaffali", ha detto Matteo.

"Acho que o filtro solar está naquelas prateleiras", disse Matteo.

PROVAR, EXPERIMENTAR (ROUPAS, CALÇADOS ETC.): ***provare (vestiti, scarpe ecc.)***

PROVADOR (EM LOJAS): ***camerino***

"Posso provare questa maglietta?", ha domandato Paolo al commesso.

"Posso experimentar esta camiseta?", Paolo perguntou ao atendente da loja.

"Certo. C'è un camerino lì dietro.", ha risposto il commesso.

"Claro. Tem um provador ali atrás.", respondeu o atendente.

20% DE DESCONTO: ***20% di sconto***

Tutti gli articoli del negozio sono in offerta con almeno il venti per cento di sconto.

Todos os artigos da loja estão em oferta com pelo menos vinte por cento de desconto.

REEMBOLSO: ***rimborso***

"Vuole sostituirlo o preferisce richiedere il rimborso?", ha chiesto il commesso alla Sig.ª Marconi.

"A senhora quer trocar por outro ou pedir o reembolso?", perguntou o vendedor à Sra. Marconi.

LIQUIDAÇÃO: ***liquidazione, svendita***

C'è un'ottima liquidazione in quel negozio all'angolo oggi. Trenta per cento di sconto su tutta la merce.

Tem uma ótima liquidação naquela loja da esquina hoje. Trinta por cento de desconto em toda a mercadoria.

Reclamar de algo que você comprou
Reclamare di qualcosa che hai comprato

Posso falar com o gerente, por favor?
Posso parlare con il responsabile, per favore?

Acho que não está funcionando bem.
Mi pare che non funzioni perfettamente.

Queria fazer uma reclamação sobre...
Vorrei fare un reclamo riguardo a...

Queria reclamar a respeito de...
Vorrei presentare un reclamo riguardante...

Pode trocar isso aqui, por favor?
Potrebbe sostituire questa merce, per favore?

Aqui está o recibo.
Ecco qua la ricevuta.

Quero o reembolso...
Vorrei il rimborso...

O laptop/A máquina fotográfica que comprei aqui ontem não está funcionando.
Il notebook/La macchina fotografica che ho comprato qui ieri non funziona.

O tênis que comprei está apertado.
Le scarpe da tennis che ho comprato sono strette.

O vendedor que nos atendeu foi muito grosseiro.
Il commesso che ci ha ricevuto è stato molto sgarbato.

Ele nos tratou mal.
Ci ha trattato male.

GLOSSÁRIO TEMÁTICO 4: ROUPAS E CALÇADOS
GLOSSARIO TEMATICO 4: ABBIGLIAMENTO E CALZATURE

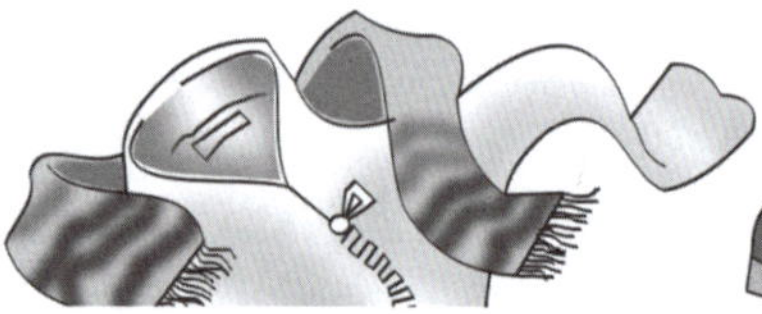

Agasalho: *tuta sportiva*
Blusa (de mulher): *camicia*
Boné: *berretto*
Botas: *stivali*
Cachecol: *sciarpa*
Calção: *calzoncini, costume da bagno*
Calças: *pantaloni*
Calcinha: *mutandine*
Camisa: *camicia*
Camisa polo: *polo*
Camiseta: *maglietta*
Camiseta regata: *canottiera*
Casaco: *cappotto, giaccone*
Chapéu: *cappello*
Chinelos: *ciabatte*
Chinelo, sandália de dedo: *infradito*
Chuteira: *scarpe da calcio*
Cinto: *belt*
Colete: *gilet*
Cueca: *mutande, slip*
Cueca samba-canção: *boxer*
Gravata: *cravatta*
Jaqueta de couro: *giubbotto di pelle*
Jeans: *jeans*
Liquidação: *svendita, liquidazione*
Loja de departamentos: *grande magazzino*

Maiô: *costume da bagno*
Meias: *calzini, calze*
Minissaia: *minigonna*
Moletom: *felpa*
Pantufas: *pantofole*
Pijama: *pigiama*
Provador: *camerino*
Robe: *vestaglia*
Roupão: *accappatoio*
Saia: *gonna*
Sandálias: *sandali*
Sapatos: *scarpe*
Shopping: *centro commerciale*
Suéter: *maglioncino*
Sutiã: *reggiseno*
Tênis: *scarpa da ginnastica*
Terno: *completo*
Vestido: *vestito*

Câmbio: trocar dinheiro
Cambio: cambiare soldi

Vocês trocam dinheiro estrangeiro aqui?
Fate il cambio di monete straniere qui?
Onde posso trocar euros/dólares aqui perto?
Dove posso cambiare euro/dollari qui vicino?
Tem uma casa de câmbio aqui por perto?
C'è una agenzia di cambio qui vicino?
Qual é a taxa de câmbio do euro para o real?
Qual è il tasso di cambio tra euro e real?
Posso trocar meus cheques de viagem?
Posso cambiare i miei assegni turistici?
Qual é a taxa de câmbio do dólar para o real?
Qual è il tasso di cambio tra dollaro e real?
Quanto vocês cobram de comissão?
Quanto viene la tassa di servizio?
Eu queria trocar quinhentos reais por dólares/euros.
Vorrei cambiare cinquecento reali in dollari/euro.

CÉDULAS QUE CIRCULAM NA ITÁLIA E NA UNIÃO EUROPEIA

Banconote che circolano in Italia e nell'Unione Europea

As cédulas utilizadas na Itália são de: 5, 10, 20, 50, 100, 200 e 500 euros.

Veja abaixo as cédulas usadas em todos os países da União Europeia:

CINQUE EURO (CÉDULA DE CINCO EUROS)

DIECI EURO (CÉDULA DE DEZ EUROS)

VENTI EURO (CÉDULA DE VINTE EUROS)

VINQUANTA EURO (CÉDULA DE CINQUENTA EUROS)

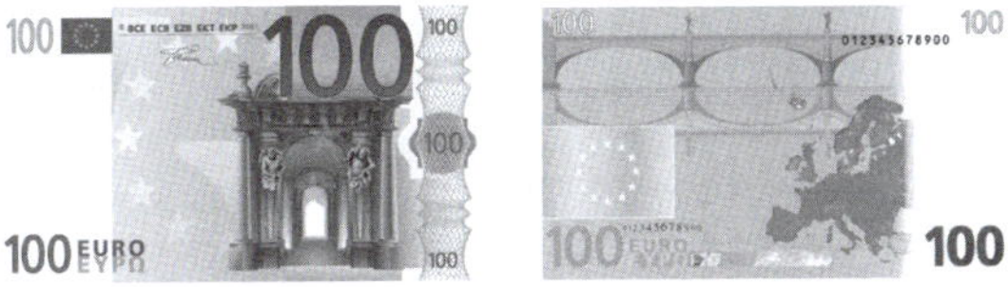

CENTO EURO (CÉDULA DE CEM EUROS)

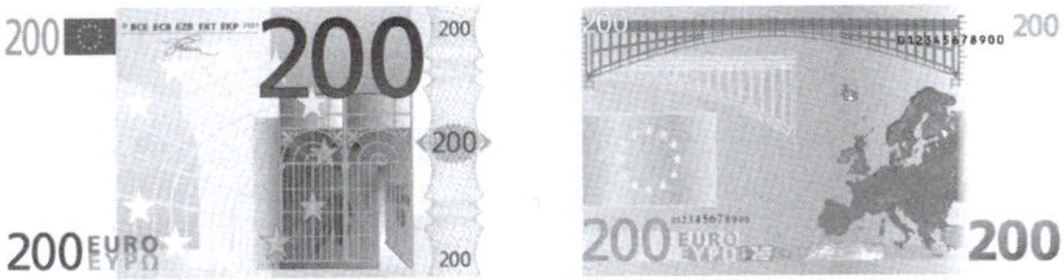

DUECENTO EURO (CÉDULA DE DUZENTOS EUROS)

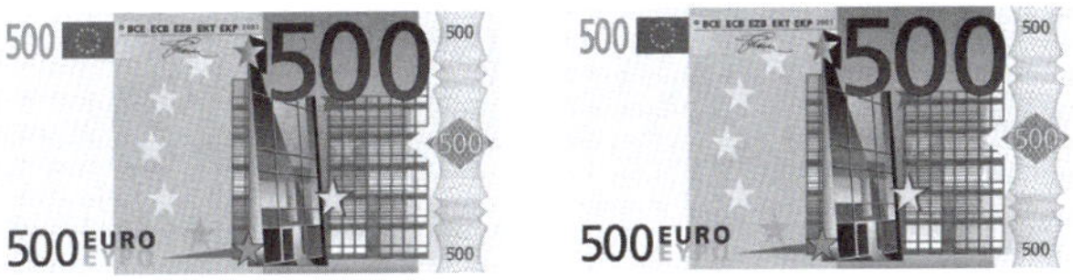

CINQUECENTO EURO (CÉDULA DE QUINHENTOS EUROS)

MOEDAS DE EURO *Monete di euro*

Veja abaixo as moedas de euro:

1 CENTESIMO DI EURO (1 CENTAVO DE EURO)

2 CENTESIMI DI EURO (2 CENTAVOS DE EURO)

5 CENTESIMI DI EURO (5 CENTAVOS DE EURO)

10 CENTESIMI DI EURO (10 CENTAVOS DE EURO)

20 CENTESIMI DI EURO (20 CENTAVOS DE EURO)

50 CENTESIMI DI EURO (50 CENTAVOS DE EURO)

1 EURO (1 EURO)

2 EURO (2 EUROS)

Obs.: as moedas de 1 euro variam de acordo com o país.

ÁUSTRIA

BÉLGICA

FINLÂNDIA

FRANÇA

ALEMANHA

GRÉCIA

IRLANDA

ITÁLIA

LUXEMBURGO

HOLANDA

PORTUGAL

ESPANHA

Açougue: *macelleria*
Antiquário: *antiquariato*
Agência de correio: *ufficio postale*
Agência de viagens: *agenzia di viaggi*
Banca de jornal: *edicola*
Barbeiro: *barbiere*
Biblioteca: *biblioteca*
Cabeleireiro: *parrucchiere*
Caixa eletrônico de banco: *bancomat*
Chaveiro: *fabbro*
Correios: *posta*
***Cyber café*, café com pontos de acesso à internet:** *cyber caffè, internet point*
Delegacia de polícia: *questura*
Dentista: *dentista*
Drogaria (loja onde vendem especiarias e produtos para a casa): *drogheria*
Farmácia: *farmacia*
Floricultura: *fiorista, fioraio*
Joalheiro: *gioielliere*
Joalheria: *gioielleria*
Hospital: *ospedale*
Lavanderia: *lavanderia*
Livraria: *libreria*
Loja de alimentos dietéticos: *negozio di prodotti dietetici*
Loja de produtos naturais: *negozio biologico*
Loja de artigos esportivos: *negozio di articoli sportivi*
Loja de brinquedos: *negozio di giocattoli*
Loja de departamentos: *grande magazzino*
Loja de eletrônicos: *negozio di prodotti elettronici*
Lojinha de presentes (em hotéis): *articoli regalo*
Mercado: *mercato*
Mercadinho: *alimentari*
Oficina: *officina*
Ótica: *ottica*
Padaria: *panetteria, forno*
Papelaria: *cartoleria*
Peixaria: *pescheria*
Shopping center: *centro commerciale*
Supermercado: *supermercato*
Tabacaria: *tabaccheria*

Lojas e serviços: frases usuais
Negozi e servizi: frasi convenzionali

Como posso ajudá-lo?
Posso aiutarLa?

Em que posso ajudar?
Desidera?

Posso ajudar?
Prego?

Vocês têm pilhas/fio dental?
Avete delle pile/del filo dentale?

Estou procurando...
Cerco.../Avrei bisogno di...

Só estou olhando. Obrigado.
Do solo un'occhiata. Grazie.

Você sabe se tem um caixa eletrônico de banco aqui perto?
Sai se c'è uno sportello Bancomat qui vicino?

Tem uma banca de jornal/livraria aqui perto?
C'è un'edicola/una libreria qui vicino?

Veja *Glossário temático 5: Lojas e serviços*, p. 126

A que horas o banco/o supermercado/a loja abre?
A che ora apre la banca/il supermercato/il negozio?

A que horas o correio/a farmácia fecha?
A che ora chiude la posta/la farmacia?

Vocês fecham para o almoço?
Chiudete all'ora di pranzo?

Vocês abrem à noite/aos sábados?
È aperto la sera/sabato?

No correio: frases usuais
Alla posta: frasi convenzionali

Tem uma agência do correio aqui perto?
C'è un ufficio postale da queste parti?

Onde fica a caixa de correio mais próxima?
Dov'è la cassetta della posta più vicina?

Onde posso comprar selos e envelopes?
Dove posso comprare francobolli e buste da lettera?

De quantos selos eu preciso para mandar esta carta?
Che francobolli occorrono per spedire questa lettera?

Que horas o correio abre/fecha?
A che ora apre/chiude la posta?

Eu preciso enviar este pacote para o Brasil/a Inglaterra/etc.
Devo spedire questo pacco in Brasile/Inghilterra/ecc.

Vocês vendem caixas aqui?
Avete delle casse/scatole da vendere qui?

Quanto custa a entrega rápida?
Quanto costa la spedizione pacco celere?

Eu gostaria de enviar esse pacote com seguro.
Vorrei spedire questo pacco con l'assicurazione.

Há alguns itens frágeis no pacote
Ci sono alcune cose fragili nel pacco.

Quanto é?
Quanto costa?

O seguro está incluído?
L'assicurazione è compresa?

Qual é a forma mais barata de envio?
Qual è la maniera più economica di spedizione?

Quanto tempo vai levar para chegar ao Brasil?
Quanto tempo ci vuole per arrivare in Brasile?

Qual é a forma mais rápida de envio?
Qual è la maniera più rapida di spedizione?

Não sei o CEP de Milão/Roma/Florença.
Non so il CAP di Milano/Roma/Firenze.

Vocês têm cartões-postais?
Avete delle cartoline?

Fazer compras na farmácia
Fare spese in farmacia

Com licença, onde encontro fio dental?
Mi scusi, dove si trova il filo dentale?

Fica no corredor cinco.
Si trova nella corsia cinque.

Você sabe onde posso encontrar protetor solar?
Sa dove posso trovare il filtro solare?

Preciso de cortador de unhas, você sabe onde posso encontrar?
Ho bisogno di un tagliaunghie, sa dove posso trovarli?

Eles estão no corredor dois.
Sono/Li trova nella corsia due.

Preciso de creme de barbear. Você sabe onde está?
Mi occorre della crema da barba. Sa dov'è?

Vocês têm algum outro tipo de xampu e de condicionador de cabelos?

Avete un altro tipo di shampoo e di balsamo per i capelli?

Absorvente higiênico: *assorbente*
Absorvente interno: *tampone*
Academia de ginástica: *palestra*
Acetona: *acetone*
Água oxigenada: *acqua ossigenata*
Algodão: *cotone idrofilo*
Analgésico: *analgesico*
Anestesia: *anestesia*
Antibiótico: *antibiotico*
Anticoncepcional: *contracettivo*
Antisséptico: *collutorio*
Aparelho de barbear: *rasoio*
Área para fumantes (em restaurantes etc.): *zona fumatori*
Armação de óculos: *montatura*
Aspirina: *aspirina*
Atadura: *benda, fasciatura*
Barbeador elétrico: *rasoio elettrico*
Batom: *rossetto*
Bronzeador: *crema abbronzante*
Calmante: *calmante*
Colírio: *collirio*
Condicionador de cabelos: *balsamo per capelli*
Cortador de unha: *tagliaunghie*
Cotonete: *cotton-fiocchi*
Creme de barbear: *crema da barba*
Curativo adesivo: *cerotto*
Desodorante em bastão: *deodorante*
Escova de cabelos: *spazzola da capelli*
Escova de dente: *spazzolino da denti*
Esmalte: *smalto*
Espuma de barbear: *schiuma da barba*
Estojo de primeiros socorros: *astuccio e borsa di pronto soccorso*
Fio dental: *filo dentale*
Gaze: *garza*
Grampo de cabelo: *forcina, fermaglio*
Lâmina de barbear: *lametta (da barba)*
Lenço de papel: *fazzolettino di carta*
Lixa de unha: *limetta per le unghie*
Loção pós-barba: *dopobarba*
Papel higiênico: *carta igienica*
Pasta de dente: *dentifricio*
Pente: *pettine*
Pincel de barba: *pennello da barba*
Pomada: *pomata*
Preservativo: *preservativo, profilattico*
Protetor solar: *filtro solare*
Remédio para dor de ouvido: *farmaco per il mal d'orecchio*
Rímel: *mascara, rimmel*
Sabonete: *saponetta*
Seringa: *siringa*
Supositório: *supposta*
Talco: *borotalco*
Tesoura: *forbice*
Tylenol®: *tachipirina*
Xampu: *shampoo*
Xarope: *sciroppo*

CAPÍTULO 7
CAPITOLO 7

Saúde & Emergências

Dialogo 12: Dal medico

Dottore: *Entri, si accomodi, per favore.*
Paziente: *Grazie! (rumore della porta che si chiude...)*
Dottore: *Qual è il problema?*
Paziente: *Ho questa allergia sul braccio da due giorni.*
Dottore: *Mi faccia vedere.*
Paziente: *Certo!*
Dottore: *Lei è allergico a qualche farmaco?*
Paziente: *No che io sappia.*
Dottore: *Ok. Le prescriverò una crema. Deve applicarla due volte al giorno ed evitare di grattare la pelle nei prossimi giorni. Starà bene in poco tempo.*
Paziente: *Grazie dottore!*

Veja a tradução desse diálogo na p. 145

No médico
Dal medico

Queria marcar uma consulta com o clínico geral.
Vorrei fissare un appuntamento con il medico di base.

O médico pode me examinar agora?
Il dottore può visitarmi adesso?

Onde dói?
Dove Le fa male?

Veja *Glossário temático 7: Corpo humano & sintomas*, p. 135

Dói aqui?
Le fa male qui?

Você consegue mexer seu braço/perna assim?
Riesce a muovere il braccio/la gamba così?

Respire fundo.
Respiri a fondo.

Inspire e expire.
Inspiri e espiri.

Você tem tido dificuldade para dormir?
Fa fatica ad addormentarsi?

Há quanto tempo você se sente assim?
Da quanto tempo si sente così?

Você já se sentiu assim antes?
Si è già sentito così prima?

Você está tomando algum remédio?
Prende qualche medicina?

Você é alérgico a alguma coisa?
Soffre di qualche forma di allergia?

Você fez sexo sem proteção?
Ha avuto rapporti sessuali senza l'uso del profilattico?

Usa camisinha durante as relações sexuais?
Usa il profilattico durante i rapporti sessuali?

Quando foi sua última menstruação?
Quando ha avuto l'ultima mestruazione?

Precisa tirar um raio X do joelho/dos pulmões/etc.
Bisogna fare una radiografia al ginocchio/ai polmoni/ecc.

Vamos tirar sua pressão/temperatura.
Misuriamo la pressione/la temperatura.

O senhor torceu o tornozelo.
Ha una distorsione alla caviglia.

Vamos ter que engessar seu braço/seu pé/sua perna.
Dobbiamo ingessarLe il braccio/il piede/la gamba.

Preciso lhe dar uma injeção.
Devo farLe un'iniezione.

Vou precisar te dar alguns pontos.
Dovrò applicarLe qualche punto di sutura.

Precisamos fazer exame de sangue.
Dobbiamo fare le analisi del sangue.

Vou lhe receitar este remédio.
Le prescrivo questa medicina.

Tome dois comprimidos a cada seis horas.
Prenda due compresse/pasticche ogni sei ore.

O senhor deve descansar por dois dias.
Deve stare a riposo per due giorni.

O senhor deve se sentir melhor em alguns dias.
Dovrebbe sentirsi meglio fra qualche giorno.

Dizer ao médico como você se sente
Dire al dottore come ti senti

Não estou me sentindo muito bem.
Non mi sento molto bene.

Estou me sentindo tonto.
Mi sento intontito.

Acho que vou desmaiar.
Mi sento svenire.

Não consigo respirar direito.
Non riesco a respirare bene.

Sinto vontade de vomitar.
Mi viene da vomitare.

Estou com o corpo inteiro doendo.
Mi duole tutto il corpo.

Estou com dor na perna/no braço/no peito.
Mi fa male la gamba/il braccio/il petto.

Veja *Glossário temático 7: Corpo humano & sintomas*, p. 135

Estou com torcicolo.
Ho il torcicollo

Notei um caroço aqui.
Ho un linfonodo ingrossato qui.

Estou me sentindo muito fraco.
Mi sento molto debole.

Não consigo mexer meu/minha...
Non riesco a muovere il mio/la mia...

Veja *Glossário temático 7: Corpo humano & sintomas*, p. 135

Queimei minha mão.
Mi sono scottato/bruciato/ustionato la mano.

Meu/Minha... está inchado(a).
Il mio/La mia... è gonfio(a).

Meu pulso está dolorido.
Mi fa male il polso.

Estou com gripe.
Ho l'influenza.

Estou com um resfriado forte.
Ho un forte raffreddore.

Estou com dor de cabeça.
Ho mal di testa.

Estou com dor de garganta.
Ho mal di gola.

Estou tossindo muito.
Ho molta tosse.

Estou com febre.
Ho la febbre.

Estou espirrando muito.
Starnutisco in continuazione.

Estou com coriza.
Ho un'infiammazione della mucosa nasale.

Meu nariz está sangrando.
Mi esce il sangue dal naso.

Estou com dor de estômago.
Ho mal di stomaco.

Estou com dor nas costas.
Ho mal di schiena.

Estou com dor de dente.
Ho mal di denti.

Estou com dor de ouvido.
Ho l'otite.

Meu nariz está entupido.
Ho il naso bloccato.

Estou com azia.
Ho un po' di acidità gastrica.

Estou grávida.
Sono incinta.

A minha menstruação está atrasada há... dias.
La mia mestruazione è in ritardo di... giorni.

Sou diabético(a).
Sono diabetico(a).

Estou suando muito.
Sudo molto.

Sou alérgico(a) a...
Sono allergico(a) a...

É necessária a receita para comprar este remédio?
È necessaria la ricetta per comprare questa medicina?

GLOSSÁRIO TEMÁTICO 7: CORPO HUMANO & SINTOMAS
GLOSSARIO TEMATICO 7: IL CORPO UMANO & SINTOMI

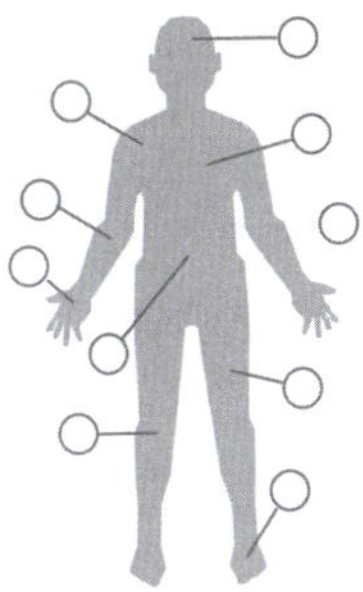

Alergia: *allergia*
Amígdalas: *tonsille*
Amigdalite: *tonsillite*
Apêndice: *appendice*
Apendicite: *appendicite*
Artéria: *arteria*
Artrite: *artrite*
Asma: *asma*
Ataque epiléptico: *attacco epilettico*
Baço: *milza*
Barriga: *pancia*
Bexiga: *vescica*

Boca: *bocca*
Bochecha: *guancia*
Bolha: *vescicola*
Braço: *braccio*
Bronquite: *bronchite*
Cabeça: *testa*
Cabelo(s): *capello(i)*
Cãibra: *crampo*
Calcanhar: *tallone, calcagno*
Cardiologista: *cardiologo(a)*
Catapora: *varicella*
Checkup anual: *visita di controllo annuale*
Cílio(s): *ciglio, (pl.) ciglia*
Cintura: *vita*
Cirurgião: *chirurgo(a)*
Clínico geral: *medico generico, medico di base*
Cólicas estomacais: *colica stomacale*
Cólicas menstruais: *colica mestruale*
Coluna vertebral: *spina dorsale*
Convulsão: *convulsione*
Coração: *cuore*
Costas: *schiena*
Costela: *costola*
Cotovelo: *gomito*
Coxa: *coscia*
Dedos da mão: *dita (pl.) della mano*
Dedo anular: *dito anulare*
Dedo indicador: *dito indice*
Dedo médio: *dito medio*
Dedo mínimo, mindinho: *dito mignolo*
Dedo polegar: *pollice*
Dedos do pé: *dita del piede*
Dedão: *alluce*
Dente(s): *dente(i)*
Derrame: *ictus cerebrale*
Diabetes: *diabete*
Diarreia: *diarrea*
Efeito colateral: *effetto collaterale*
Enjoo: *nausea, voltastomaco*
Enxaqueca: *emicrania*
Erupção cutânea, alergia: *eruzione cutanea, sfogo*
Fígado: *fegato*
Fratura: *frattura*
Garganta: *gola*
Gengiva: *gengiva*
Ginecologista: *ginecologo*
Hematoma: *ecchimosi*
Hemorroida: *emorroide*
Hérnia: *ernia*
Inchaço: *gonfiore*
Indigestão: *indigestione*
Infarto: *infarto*
Infecção: *infezione*
Injeção: *puntura, iniezione*
Insônia: *insonnia*
Insulina: *insulina*
Joelho: *ginocchio, (pl) ginocchia*
Lábios: *labbro; (pl) labbra*
Laringite: *laringite*
Língua: *lingua*
Machucado: *(prendere una) botta*
Manchas: *macchie, chiazze*
Mão: *mano*
Maxilar: *mascella*
Músculo: *muscolo*
Nádegas: *natiche*
Nariz: *naso*
Náusea: *nausea*
Neurologista: *neurologo*
Oftalmologista: *oculista*
Olho(s): *occhio(i)*

Ombro: *spalla*
Orelhas: *orecchio; (pl) orecchia*
Órgãos: *organi*
Ortopedista: *ortopedico*
Otorrinolaringologista: *otorinolaringologo*
Pálpebra: *palpebra*
Pediatra: *pediatra*
Peito: *petto*
Pé: *piede*
Pênis: *pene; fallo*
Perna: *gamba*
Pés: *piedi*
Pescoço: *collo*
Picada de inseto: *puntura*
Pneumonia: *polmonite*
Polegar: *pollice*
Pomada: *pomata*
Pressão sanguínea: *pressione sanguigna*
Prisão de ventre: *stitichezza*
Pronto-socorro: *pronto soccorso*
Pulmões: *polmoni*
Pulso: *polso*
Quadril: *fianchi, anche*
Queimadura: *scottatura*
Queixo: *mento*
Reumatismo: *reumatismo*
Rins: *reni*
Rubéola: *rosolia*
Sangramento: *sanguinamento*
Sangrar: *sanguinare*
Sarampo: *morbillo*
Seio: *seno*
Sinusite: *sinusite*
Sobrancelha: *sopracciglio*
Sutura: *sutura*
Suturar: *suturare*
Testa: *fronte*
Tontura: *vertigini, capogiro*
Tornozelo: *caviglia*
Úlcera: *ulcera*
Unha: *unghia*
Vagina: *vagina*
Varíola: *vaiolo*
Veia: *vena*
Vertigem: *vertigine*
Vesícula: *cistifelia*

No dentista
Dal dentista

Estou com dor de dente.
Ho mal di denti.

Acho que tenho uma cárie.
Penso di avere una carie.

Quebrei um dente.
Mi si è rotto un dente.

Caiu uma obturação.
Mi è saltata un'otturazione.

Meus dentes estão muito sensíveis.
I miei denti sono sensibili.

Minhas gengivas estão doendo.
Mi fanno male le gengive.

GLOSSÁRIO TEMÁTICO 8: NO DENTISTA
GLOSSARIO TEMATICO 8: DAL DENTISTA

Anestesia: *anestesia*
Antisséptico bucal: *collutorio*
Arrancar um dente: *estrarre, togliere un dente*
Bochechar: *sciacquare*
Broca de dentista: *trapano*
Canal: *canale*
Cárie: *carie*
Coroa: *corona*
Dentadura: *dentiera*
Dente: *dente, (pl.) denti*
Dente de leite: *dente da latte*
Dente do siso: *dente del giudizio*
Escova de dente: *spazzolino da denti*
Escovar: *spazzolare*
Extrair um dente: *estrarre, togliere un dente*
Fio dental: *filo dentale*
Gargarejar: *fare gargarismi*
Gargarejo: *gargarismo*
Hora marcada no dentista: *appuntamento dal dentista*
Obturar um dente: *otturare*
Obturação: *otturazione*
Passar fio dental: *usare il filo dentale*
Pasta de dente: *dentifricio*
Ponte: *ponte dentale*

Emergências: frases úteis
Emergenze: frasi utili

Você sabe me dizer onde fica a delegacia de polícia mais próxima?
Sa dirmi dov' è la questura più vicina?

Queria fazer um boletim de ocorrência na delegacia mais próxima.
Vorrei presentare una denuncia presso la più vicina stazione di polizia.

Queria registrar um roubo.
Vorrei denunciare un furto.

Meu passaporte foi roubado.
È stato rubato il mio passaporto.

Fui roubado por um trombadinha.
Sono stato derubato da un borseggiatore.

Roubaram meu cartão de crédito.
Hanno rubato la mia carta di credito.

Minha carteira/bagagem foi roubada.
Il mio portafogli/bagaglio è stato rubato.

Minha bolsa foi roubada.
La mia borsa è stata rubata.

Perdi meus cheques de viagem.
Ho perso i miei assegni tursitici.

Gostaria de contatar o Consulado.
Vorrei contattare il Consolato.

Alguém arrombou nosso carro.
Hanno sfondato la nostra macchina.

Roubaram minha máquina fotográfica.
Mi hanno rubato la macchina fotografica.

Houve um acidente.
C'è stato un incidente.

É melhor chamar uma ambulância!
È meglio chiamare un'ambulanza!

Você poderia, por favor, chamar uma ambulância?
Potrebbe, per favore, chiamare un'ambulanza?

Preciso fazer um telefonema.
Devo fare una telefonata.

GLOSSÁRIO TEMÁTICO 9: EMERGÊNCIAS
GLOSARIO TEMATICO 9: EMERGENZE

Achados e perdidos: *oggetti smarriti*
Acidente: *incidente*
Ambulância: *ambulanza*
Assaltar: *assaltare*
Assaltante: *rapinatore*
Bandido: *bandito*
Batedor de carteiras, trombadinha: *scippatore, borseggiatore*
Batida (automóveis): *collisione, tamponamento, urto*
Boletim de ocorrência: *denuncia*
Colidir, bater: *collidere, tamponare, urtare*
Corpo de bombeiros: *vigili del fuoco*
Danificar: *danneggiare*
Dano, prejuízo: *danno*
Delegacia de polícia: *questura (carabinieri), commissariato (polizia)*
Ferido: *ferito*
Furto: *furto*
Incêndio: *incendio*
Inundação: *inondazione, allagamento, alluvione*
Kit de primeiros socorros: *kit di primo soccorso*
Ladrão: *ladro*
Machucar: *fare male*
Perder: *perdere, smarrire*
Pertences: *oggetti personali*
Policial: *poliziotto*
Pronto-socorro: *pronto soccorso*
Raptar: *rapire*
Rebocar: *rimorchiare*
Resgate: *salvataggio*
Roubar (algum pretence, objeto): *rubare*
Roubar (de alguém): *derubare*
Roubo: *furto*

Diálogos Traduzidos

Diálogo 1: Como está o tempo hoje?

Turista: Como está o tempo hoje?
Recepção: Hoje cedo estava meio nublado, mas agora tem sol.
Turista: Está quente o suficiente para nadar?
Recepção: Acho que sim, senhor. Mas, mesmo se não estiver, uma de nossas piscinas é aquecida e o senhor pode nadar tranquilamente.
Turista: Ok, é bom saber disso. Obrigado!

Diálogo 2: O senhor pode soletrar, por favor?

Recepção: Qual é o seu sobrenome, senhor?
Turista: Pinheiro.
Recepção: O senhor pode soletrar, por favor?
Turista: Claro! P - I - N - H - E - I - R - O.
Recepção: Certo. Senhor Pinheiro! O senhor pode assinar aqui, por favor?
Turista: O.k.
Recepção: Obrigado, senhor. O seu quarto é o 503. Aqui está sua chave.
Turista: Muito obrigado.
Recepção: Não há de quê!

Diálogo 3: Fazer o *check-in* no aeroporto

Voo 5105 para Milão, embarque imediato no portão 31...

Atendente de *check-in*: Bom dia, senhor. O senhor pode me dar seu passaporte e a passagem, por favor?
Turista: Claro! Aqui estão.
Atendente de *check-in*: Obrigado. O senhor poderia colocar sua mala na balança?
Turista: O.k.!
Atendente de *check-in*: Aqui está o seu cartão de embarque. O embarque tem início às 7 horas. O senhor vai embarcar no portão 23.
Turista: Obrigado!
Atendente de *check-in*: Não há de quê, senhor! Boa viagem.

Diálogo 4: Viajar de trem — na bilheteria — comprar uma passagem

Bilheteiro: Pois não!
Passageiro: Uma passagem de ida e volta, no trem direto, para Firenze.
Bilheteiro: De primeira classe?
Passageiro: Não, de segunda, obrigado.
Bilheteiro: 30 euros.
Passageiro: Desculpe, pode me dizer de qual plataforma sai o trem?
Bilheteiro: Basta olhar no painel. Boa viagem!

Diálogo 5: Alugar um carro

Atendente da locadora: Bom dia, senhor. Em que posso ajudá-lo?
Turista: Olá! Preciso alugar um carro por uma semana.
Atendente da locadora: Claro, senhor. Que tipo de carro o senhor prefere?
Turista: Bom, precisamos de um carro com porta-malas grande. Temos quatro malas.
Atendente da locadora: Entendi. Deixe-me checar no nosso sistema o que temos disponível.

Turista: O.k.! Obrigado! Gostaríamos também de ter cobertura completa, por favor.
Atendente da locadora: Muito bem, senhor

Diálogo 6: Problemas com o ar-condicionado

Recepção: Recepção, Alberto falando. Pois não?
Turista: Oi. Umh, deve haver um problema com o ar-condicionado. Não está funcionando direito.
Recepção: Não se preocupe, senhor. Vou mandar alguém imediatamente para resolver o problema.
Turista: A propósito, você poderia me mandar também uma toalha extra?
Recepção: Claro, senhor. Uma das nossas camareiras levará mais algumas toalhas.
Turista: Muito obrigado!
Recepção: Não há de quê, senhor!

Diálogo 7: Pedir indicação de caminho

Turista: Desculpe. Você sabe me dizer se tem uma farmácia aqui perto?
Transeunte: Tem uma a dois quarteirões daqui. Não tem como errar.
Turista: Obrigado! Também preciso sacar algum dinheiro. Você sabe onde fica o banco mais próximo?
Transeunte: Tem um caixa eletrônico na farmácia que te indiquei. Você pode sacar lá.
Turista: Ah, perfeito! Muito obrigado pela gentileza!
Transeunte: Não há de quê!

Diálogo 8: Procurar um lugar para comer

Turista: Com licença. Você poderia nos recomendar um bom restaurante aqui perto?
Recepção: Claro, senhora. O que vocês querem comer?
Turista: Talvez massa para mim e pizza para as crianças.
Recepção: Bom, neste caso eu aconselharia a senhora a ir a um restaurante na Praça Garibaldi. É perto e lá se come muito bem.

Turista: Acho que é uma ótima ideia. Você poderia nos dizer como chegar lá?
Recepção: Claro. Vou mostrar no mapa.

Diálogo 9: Na lanchonete

Garçonete: O que posso trazer para vocês?
Turista 1: Para mim um sanduíche de muçarela e cogumelos, por favor.
Turista 2: Eu quero um sanduíche de presunto e queijo.
Garçonete: O.k. E para beber?
Turista 1: Vocês têm suco de laranja feito na hora?
Garçonete: Claro que temos.
Turista 1: Então, para mim, um suco de laranja.
Turista 2: Eu vou tomar um chope médio.
Garçonete: O.k.! Eu volto já com as bebidas.

Diálogo 10: Que lugares devemos visitar?

Turista: Oi. Gostaria de fazer um passeio turístico. Você pode me recomendar alguns lugares interessantes?
Recepção: Claro, senhora. Há muito para se ver nesta cidade. A senhora prefere um passeio em meio ao verde ou no centro histórico?
Turista: Gostaria de conhecer o centro histórico.
Recepção: O.k.! Deixe-me mostrar alguns lugares aqui no mapa. Eu lhe aconselho visitar esta praça medieval e suas ruas antigas...

Diálogo 11: Em uma loja de calçados

Balconista: Posso ajudar?
Turista: Estou procurando um tênis. Tem alguma coisa em liquidação?
Balconista: Temos alguns com 30% de desconto. Deixe-me mostrar para o senhor. Por aqui, por favor. São estes.
Turista: Tem em preto?
Balconista: Acho que sim. Que número o senhor calça?

Turista: Quarenta e um ou quarenta e dois. Depende do modelo.
Balconista: O.k.! Aqui está o quarenta e dois. Por que o senhor não prova?
Turista: Claro. Obrigado!

Diálogo 12: No médico

Médico: Entre, se acomode, por favor.
Paciente: Obrigado!
Médico: Qual é o problema?
Paciente: Estou com esta alergia no braço há dois dias.
Médico: Deixe-me ver.
Paciente: Claro!
Médico: O senhor é alérgico a alguma medicação?
Paciente: Não que eu saiba.
Médico: O.k. Vou lhe receitar um creme. O senhor deve passar duas vezes ao dia e evitar coçar a pele nos próximos dias. O senhor ficará bem logo.
Paciente: Obrigado, doutor!

Glossário Português-Italiano

A

Aberto(a)/(os)/(as): *aperto(a)/(i)/(e)*
Abridor de garrafas: *apribottiglie*
Abridor de latas: *apriscatole*
Abril: *aprile*
Abrir: *aprire*
Acampamento: *campeggio, camping*
Acampar: *fare campeggio, campeggiare*
Achados e perdidos: *oggetti smarriti*
Achar, encontrar: *trovare*
Acontecer: *succedere*
Acordar, despertar: *svegliarsi*
Acostamento: *corsia d'emergenza*
Açúcar: *zucchero*
Aeromoça(s): *assistente(i) di volo*
Aeroporto(s): *aeroporto(i)*
Agência(s) de viagens: *agenzia(e) di viaggi*
Agente(s) de viagens: *agente(i) di viaggio*
Agência dos correios: *ufficio postale*
Agora: *adesso*
Agosto: *agosto*
Agradável(is): *gradevole(i)*
Água com gás: *acqua minerale gasata*
Água mineral: *acqua minerale*
Água potável: *acqua potabile*
Ajuda: *aiuto*
Ajudar: *aiutare*
Alarme de incêndio: *allarme antincendio*
Albergue(s) da juventude: *ostello(i) della gioventù*
Alfândega: *dogana*
Almoço: *pranzo*
Alto(a)/(os)/(as): *alto(a), alti(e)*
Alugar (bem imóvel): *affittare (bene immobile)*
Alugar (bem móvel): *noleggiare (bene mobile)*
Amarelo (a)/(os)/(as): *giallo(a)/gialli(e)*
Anfitrião(ões): *ospite(i)*
Anfitriã(s): *ospite(i)*

Antiguidades: *antichità*
Antiquário: *antiquariato*
Aperitivo(s): *aperitivo(i)*
Apertado(a)/(os)/(as) (roupas): *stretto(a)/stretti(e)*
Apólice de seguro: *polizza di assicurazione*
Aposentado(a)/(os)/(as): *pensionato(a)/(i)/(e)*
Apresentar (uma pessoa para outra): *presentare*
Aquecedor(es): *termosifone(i), stufa(e)*
Aquecimento: *riscaldamento*
Aquecimento central: *riscaldamento centrale*
Ar-condicionado: *aria condizionata*
Ar-condicionado (aparelho): *climatizzatore*
Área para não fumantes: *zona non fumatori*
Armário, guarda-volume (em estações de trem, hotéis, aeroportos etc.): *deposito bagagli*
Arrombar: *sfondare*
Artesanato(s): *artigianato(i)*
Assinar: *firmare*
Assinatura(s): *firma(e)*
Atraso(s): *ritardo(i)*
Atrasado(a)/(os)/(as): *essere in ritardo*
Aumentar (ar-condicionado, som): *aumentare*
Azedo(a)/(os)/(as): *acido(a)/(i)/(e)*
Azul claro: *celeste*
Azul marinho: *blu*
Azul médio: *azzurro*

B

Bagagem(ens): *bagaglio(gli)*
Bagagem(ens) de mão: *bagaglio(gli) a mano*
Baixo (sons): *piano*
Baixo(a)/(os)/(as) (estatura, coisas): *basso(a)/(i)/(e)*
Balcão de *check-in*: *banco accettazione, banco check-in*
Balcão de companhia aérea: *banco della compagnia aerea*
Balcão de informações: *ufficio informazioni*
Baldeação(ões): *coincidenza(e)*
Balsa(s): *traghetto(i)*
Banca(s) de jornal: *edicola(e)*
Banco(s): *banca(che)*
Bandeja(s): *vassoio, vassoi*
Banheira: *vasca da bagno*
Banheiro: *bagno (banheiro completo), toilette, servizi (em restaurante, aeroporto, cinema etc.)*
Banho (de chuveiro): *doccia*
Banho (de banheira): *bagno*
Bar(es): *bar*
Barata: *scarafaggio, scarafaggi*
Barato(a)/(os)/(as): *a buon mercato, conveniente(i), vantaggioso (a)/(i)/(e)*
Barba(s): *barba(e)*
Barbeador(es): *rasoio, rasoi*
Barbeador elétrico: *rasoio elettrico*
Barbear-se: *radersi (la barba)*
Barco(s): *barca(che)*
Barraca(s): *tenda(e)*
Barulhento (a)/(os)/(as): *rumoroso(a)/(i)/(e)*

Bateria(s)/pilha(s): *pila(e)*
Batom(ons): *rossetto(i)*
Beber: *bere*
Bebida(s): *bibita(e)*
Beliche(s): *letto(i) a castello*
Bem-vindo(a)/(os)/(as) a...: *benvenuto(a)/(i)/(e) a...*
Biblioteca: *biblioteca*
Bicicleta(s): *bicicletta(e)*
Bigodes: *baffi*
Bilhar: *biliardo*
Bilheteria (cinema, teatro, estação de ônibus, trem): *biglietteria*
Binóculos: *binocolo(i)*
Boa sorte: *buona fortuna*
Boate: *night club*
Boca(s): *bocca(che)*
Bolsa(s): *borsetta(e)*
Bolsa(s) de mão: *borsa(e)*
Bolsa(s) de água quente: *borsa(e) dell'acqua calda*
Bom apetite!: *Buon appetito!*
Bomba(s) de gasolina: *pompa(e) di benzina*
Bombeiros: *vigili del fuoco*
Bonde: *tram*
Boné(s): *berretto(i)*
Bonito(a)/(os)/(as): *bello(a)/(i)/(e)*
Bordado(s): *ricamo(i) (subst.), ricamato(i) (adj.)*
Bosque(s): *bosco(chi)*
Botão(ões): *bottone(i)*
Bote(s) salva-vidas: *lancia(ce) di salvataggio*
Branco (a)/(os)/(as): *bianco(a), bianchi(e)*
Brincos: *orecchini*
Brinquedo: *giocattolo*
Bronzeado(s): *abbronzatura(e)*
Bronzear-se: *abbronzarsi*
***Brunch*:** *brunch*
Buscar (pegar alguma coisa ou alguém em algum lugar): *prendere*
Bússola(s): *bussola(e)*

C

Cabide(s): *gruccia(ce)*
Cabine do comandante: *cabina di pilotaggio (avião), ponte di comando (navio)*
Cachoeira(s): *cascata(e)*
Cadeira(s): *sedia(e)*
Cadeira(s) de rodas: *sedia(e) a rotelle*
Café da manhã: *prima colazione*
Cafeteira(s) elétrica(s): *caffettiera(e) elettrica(che)*
Caixa (pessoa): *cassiera(e) (em banco, lojas, supermercado)*
Caixa eletrônico de banco: *Bancomat*
Calçada(s): *marciapiede(i)*
Calefação central: *riscaldamento centrale*
Cama(s): *letto(i)*
Camas de casal (na Itália é *king size*): *letto(i) matrimoniale(i)*
Camareira/(as): *cameriera(e)*
oeCamping: *campeggio, camping*
Caneca(s): *boccale(i)*
Cardápio(s): *menu*
Caro(a)/(os)/(as): *caro(a)/(i)/(e)*
Carregador de bagagem (hotéis): *portabagagli*
Carro de aluguel: *auto a noleggio*

Cartão(ões) de crédito: *carta(e) di credito*
Cartão(ões) de embarque: *carta(e) d'imbarco*
Cartão(ões)-postal(ais): *cartolina(e)*
Carteira: *portafogli*
Carteira(s) de motorista: *patente(i) di guida*
Carteiro(s): *postino(i)*
Casado(a)/(os)/(as): *sposato(a), sposati(e)*
Cassino: *casinò*
Castelo(s): *castello(i)*
Catedral: *duomo*
Católico(a)/(os)/(as): *cattolico(a), cattolici(che)*
Cavalo(s): *cavallo(i)*
Caverna(s): *caverna(e)*
Cedo: *presto*
Cemitério(s): *cimitero(i)*
Centro financeiro: *centro finanziario*
Centro histórico: *centro storico*
Cerâmica(s): *ceramica(che)*
Certificado(s): *certificato(i)*
Chafariz(es): *fontana(e)*
Chamada a cobrar: *chiamata a carico del destinatario*
Chamada telefônica local: *chiamata urbana*
Chamada telefônica longa distância: *chiamata interurbana*
Chão: *pavimento(i)*
Chapéu(s): *cappello(i)*
Charuto(s): *sigaro(i)*
Chave(s): *chiave(i)*
Chegada(s): *arrivo(i)*
Chegar: *arrivare*
Cheio(a)/(os)/(as): *pieno(a)/(i)/(e)*
Cheque(s): *assegno(i)*
Chover: *piovere*
Churrascaria: *churrascaria*
Churrasco: *carne alla griglia*
Chuveiro(s): *doccia(ce)*
Ciclovia(s): *ciclovia(e)*
Cinto(s): *cintura(e)*
Cinto(s) de segurança: *cintura(e) di sicurezza*
Cinzeiro(s): *posacenere*
Cinzento(s): *grigio(gi)*
Classe(s): *classe(i)*
Classe executiva: *business class*
Classe econômica: *classe economica*
Cobertor(es): *coperta(e)*
Código(s): *codice(i)*
Código postal: *Codice di Avviamento Postale (CAP)*
Cofre(s): *cassaforte(i)*
Colar(es): *collana(e)*
Colchão(ões): *materasso(i)*
Colchão(ões) de dormir: *sacco(chi) a pelo*
Colete(s) salva-vidas: *giubbotto(i) salvagente(i)*
Colher: *cucchiaio, cucchiai*
Com: *con*
Com antecedência: *in anticipo*
Com licença: *permesso*
Combustível(eis): *carburante(i), combustibile(i)*
Começar: *cominciare, iniziare*
Comer: *mangiare*
Comida(s): *cibo(i)*
Comissão(ões): *commissione(i)*

Comissário(a)/(os)/(as) de bordo: *assistente(i) di volo*
Companhia(s), empresa(s): *azienda(e), ditta(e), impresa(e)*
Companhia(s) aérea(s): *compagnia(e) aerea(e)*
Compartimento(s): *compartimento(i)*
Comprar: *comprare, acquistare*
Comprido(a)/(os)/(as): *lungo(a)/ lunghi/lunghe*
Comprimento(s): *lunghezza(e)*
Comprimido(s): *pillola(e)*
Compromisso(s) (hora marcada): *appuntamento(i)*
Comprovante de reserva de estadia, voucher: *voucher*
Concerto(s) (musical): *concerto(i)*
Condicionador(es) (para cabelos): *balsamo(i)*
Confirmar: *confermare*
Confortável(is): *confortevole(i)*
Congelador: *congelatore, freezer*
Conhecer: *conoscere*
Conhecido(a)/(os)/(as) (famoso): *noto(a)/(i)/(e)*
Consertar (algo): *riparare*
Conserto(s) (de algo): *riparo(i)*
Consulado(s): *consolato(i)*
Conta(s) (restaurantes): *conto(i)*
Contra: *contro*
Convite(s): *invito(i)*
Cópia(s): *copia(e)*
Copo(s): *bicchiere(i)*
Cor(es): *colore(i)*
Correio: *ufficio postale*
Corretor(es) de imóveis: *agente(i) immobiliare(i)*
Corrida(s): *corsa(e)*
Cortar: *tagliare*
Corte(s): *taglio, tagli*
Corte de cabelo: *taglio di capelli*
Cortina(s): *tenda(e)*
Costa(s) (litoral): *costa(e)*
Couro: *cuoio*
Cozinhar: *cucinare*
Cozinheiro(a)/(os)/(as): *cuoco(a)/ (chi)/(che)*
Crédito(s): *credito(i)*
Criança(s): *bambino(i)*
Cristal(ais): *cristallo(i)*
Cruz(es): *croce(i)*
Cruzeiro(s): *crociera(e)*
Curto(a)/(os)/(as): *corto(a)/(i)/(e)*
Custar: *costare*
Custo(s) adicional(ais): *costo(i) extra*

D

Dança(s): *danza(e)*
Dançar: *ballare, danzare*
Danificado(a)/(os)/(as): *danneggiato(a)/(i)/(e)*
Danificar: *danneggiare*
Dar: *dare*
Dar descarga: *tirare lo sciacquone*
Data(s): *data(e)*
Data de nascimento: *data di nascita*
De segunda mão: *di seconda mano*
Declarar: *dichiarare*
Decolar: *decollare*
Decolagem(ens): *decollo(i)*
Deficiente(s) físico(s): *disabile(i), portatore(i) di handicap*
Deixar: *lasciare*

Delegacia de polícia: *questura (carabinieri), commissariato (polizia)*
Delicioso(a)/(os)/(as): *squisito(a)/(i)/(e)*
Demais: *troppo*
Depressa: *in fretta*
Dentro: *dentro*
Depois: *dopo*
Depósito(s): *magazzino(i)*
Desagradável(is): *sgradevole(i)*
Descansar: *riposare*
Descer: *scendere*
Descongelar: *scongelare*
Descontar (cheques): *incassare, riscuotere (un assegno)*
Desconto(s): *sconto(i)*
Desculpa(s): *scusa(e)*
Desligar (luz, TV, rádio, ar-condicionado etc.): *spegnere*
Desmaiar: *svenire*
Despachar as malas: *spedire le valigie*
Despertador(es): *sveglia(e)*
Destino(s): *destinazione(i)*
Detalhes: *dettagli*
Devagar: *piano*
Dever (dinheiro a alguém): *dovere*
Dezembro: *dicembre*
Diamante(s): *diamante(i)*
Diária de hotel (um pernoite): *una notte*
Diariamente: *giornalmente*
Dias úteis: *giorni feriali*
Diesel: *diesel, gasolio*
Dieta(s): *dieta(e)*
Difícil(eis): *difficile(i)*
Diminuir, abaixar (ar-condicionado, som): *diminuire, abbassare*
Dinheiro: *denaro, soldi*
Direção(ões): *direzione(i)*
Direita: *destra*
Direto: *diritto*
Dirigir: *guidare*
Disponibilidade(s): *disponibilità*
Disponível(eis): *disponibile(i)*
Divertido(a)/(os)/(as): *divertente(i)*
Divertir-se: *divertirsi*
Dividir (um quarto etc.): *dividere*
Divorciado(a)/(os)/(as): *divorziato(a)/(i)/(e)*
Dizer: *dire*
Doce(s): *dolce(i)*
Dono(a): *proprietario(a)*
Dormir: *dormire*
Doutor(es): *dottore(i)*
Doutora(s): *dottoressa(e)*
Dublado(a)/(os)/(as): *doppiato(a)/(i)/(e)*
Durar: *durare*
Ducha(s): *doccia(ce)*
Duro(a)/(os)/(as): *duro(a)/(i)/(e)*

E

Elevador(es): *ascensore(i)*
Embaixada(s): *ambasciata(e)*
Embaixador(es): *ambasciatore(i)*
Embarcar: *imbarcare*
Embarque: *imbarco*
Emergência(s): *emergenza(e)*
Empresa: *impresa(e), azienda(e), ditta(e)*
Emprestar: *prestare*
Encanador(es): *idraulico(i)*
Encontrar (pessoas): *incontrare*
Endereço(s): *indirizzo(i)*

Endereço de e-mail: *indirizzo elettronico, indirizzo e-mail*
Enfermeira(s): *infermiera(e)*
Engarrafamento(s) (trânsito): *imbottigliamento(i), intasamento(i), ingorgo(ghi)*
Engraçado(a)/(os)/(as): *buffo(a)/(i)/(e)*
Engraxate(s): *lustrascarpe*
Ensolarado(a)/(os)/(as): *soleggiato(a)/(i)/(e)*
Entender: *capire*
Entrada(s) (ingresso, bilhete): *biglietto(i)*
Entrada(s) (de um prédio, de uma casa): *entrata(e)*
Entrar: *entrare*
Entrega(s): *consegna(e)*
Entregar: *consegnare*
Entupido(a)/(os)/(as): *otturato(a)/(i)/(e)*
Envelope(s): *busta(e)*
Enviar: *spedire*
Enxaqueca: *emicrania*
Equipamento(s): *equipaggiamento(i)*
Equipe: *equipe*
Errado(a)/(os)/(as): *sbagliato(a)/(i)/(e)*
Engano (telefonemas): *numero sbagliato*
Entrada(s) (refeição): *antipasto(i)*
Erro(s): *errore(i)*
Escada(s): *scala(e)*
Escada(s) rolante(s): *scala(e) mobile(i)*
Escada(s) de emergência (do lado de fora do prédio): *scala(e) di emergenza*
Escolher: *scegliere*
Escorregadio(a)/(os)/(as): *scivoloso(a)/(i)/(e)*
Escova(s): *spazzola(e)*
Escova(s) de cabelo: *spazzola(e) da capelli*
Escova(s) de dente: *spazzolino(i) da denti*
Escrever: *scrivere*
Escritório(s): *ufficio, uffici*
Escuro(a)/(os)/(as): *buio(a)/(i)/(e)*
Esgotado(s) (ingressos, mercadoria): *esaurito(a)/(e)/(i)*
Esmalte(s): *smalto(i)*
Espelho(s): *specchio/specchi*
Esperar: *aspettare*
Espetáculo(s): *spettacolo(i)*
Esponja(s): *spugna(e)*
Esporte(s): *sport*
Espreguiçadeira(s): *sedie a sdraio*
Esquerda: *sinistra*
Esqui (objeto): *sci*
Esqui (esporte): *sci*
Esqui aquático: *sci d'acqua*
Esquiar: *sciare*
Esquina(s): *angolo(i)*
Estação(ões) de esqui: *impianto(i) sciistico(i)*
Estação(ões) de metrô: *fermata(e) della metropolitana*
Estação(ões) ferroviária(s): *stazione(i) ferroviaria(e)*
Estação(ões) rodoviárias: *autostazione(i)*
Estacionamento(s): *parcheggio, posteggi*

Estacionar: *parcheggiare*
Estadia(s): *soggiorno(i)*
Estádio(s): *stadio, stadi*
Estampado: *a fantasia*
Estátua: *statua*
Estepe (pneu sobressalente): *ruota di scorta*
Estrada(s): *autostrada(e), strada(e)*
Estranho(a)/(os)/(as) (adj.): *strano(a)/(i)/(e)*
Estranho(a)/(os)/(as) (subst.): *estraneo(a)/(i)/(e)*
Estreito(a)/(os)/(as): *stretto(a)/(i)/(e)*
Estudante(s): *studente(i), studentessa(e)*
Estudar: *studiare*
Excursão(ões): *escursione(i)*
Extintor(es) de incêndio: *estintore(i)*

F

Faca(s): *coltello(i)*
Fácil(eis): *facile(i)*
Faixa(s) de pedestre(s): *striscia(e) pedonale(i)*
Falar: *parlare*
Faltar: *mancare*
Famoso(a)/(os)/(as): *famoso(a)/(i)/(e)*
Farmácia(s): *farmacia(e)*
Faxineira(s): *donna(e) di servizio, colf*
Fazer a barba: *fare la barba*
Fazer as malas: *fare le valigie*
Fazer compras: *fare spese, fare acquisti*
Fazer o *check-in* no aeroporto: *fare il check all'aeroporto*
Fazer o *check-in* no hotel: *fare il check in albergo*
Fazer o *check-out* (hotel): *fare il check out*
Fazer um cheque, preencher um cheque: *fare, compilare un assegno*
Fazer uma transferência eletrônica, fazer um doc: *fare un bonifico*
Falta de energia: *mancanza di corrente elettrica*
Fechado(a)/(os)/(as): *chiuso(a)/(i)/(e)*
Fechadura(s): *serratura(e)*
Fechar: *chiudere*
Feio(a)/(os)/(as): *brutto(a)/(i)/(e)*
Feliz aniversário!: *Tanti auguri*
Feliz ano-novo!: *Felice anno nuovo*
Feliz Natal!: *Buon Natale*
Feriado(s): *giorno(i) festivo(i)*
Férias: *vacanze*
Ferimento(s): *ferita(e)*
Ferro de passar roupa: *ferro da stiro*
Ferrovia(s): *ferrovia(e)*
Fervido(a)/(os)/(as): *bollito(a)/(i)/(e)*
Festa(s): *festa(e)*
Fevereiro: *febbraio*
Ficar: *rimanere*
Ficha(s): *scheda(e)*
Flash (máquina fotográfica): *flash*
Flor(es): *fiore(i)*
Floresta(s): *foresta(e)*
Fogo(s): *fuoco(chi)*
Fogão(ões): *fornello(i) (da cucina)*
Fôlder: *dépliant*
Folheto(s): *opuscolo(i)*
Fonte(s): *fontana(e)*

Formulário(s): *modulo(i)*
Forno(s): *forno(i)*
Forno(s) de microondas: *forno(i) a microonde, microonde*
Forte(s): *forte(i)*
Fósforos: *fiammiferi*
Fotografia(s): *fotografia(e), foto*
Fotografar: *fotografare*
Fotógrafo(a): *fotografo(a)*
Fralda(s): *pannolino(i)*
Fresco(a)/(os)/(as): *fresco(a)/(chi)/(che)*
Frigobar: *minibar*
Frio(a)/(i)/(e): *freddo(a)/(i)/(e)*
Fronha(s): *federa(e)*
Fruta(s): *frutta*
Frutos do mar: *frutti di mare*
Fumar: *fumare*
Funcionar: *funzionare*
Fundo(a)/(os)/(as): *fondo(a)/(i)/(e)*

G

Galerias de arte: *galleria(e) d'arte*
Garçom(ons): *cameriere(i)*
Garçonete(s): *cameriera(e)*
Garfo(s): *forchetta(e)*
Garganta: *gola*
Garrafa(s): *bottiglia(e)*
Gasolina: *benzina*
Gasolina sem chumbo: *benzina senza piombo*
Gastar (dinheiro): *spendere*
Geada(s): *gelata(e)*
Geladeira(s): *frigorifero(i)*
Gelo: *ghiaccio*
Gente: *gente*
Gentil(is): *gentile(i)*
Gerente de empresa: *manager*
Gerente(s) (banco, hotel): *direttore(trice), (i)*
Gerente(s) (cinema, restaurante, loja): *gestore(i)*
Gorjeta(s): *mancia(ce)*
Gostar: *piacere, gradire*
GPS (abreviação de *Global Positioning System*): *GPS, navigatore satellitare*
Grama: *erba*
Gramas (medida de peso): *grammi, 100 gramas = 1 etto*
Grande(s): *grande(i), grosso(i)*
Gratuito(a)/(os)/(as): *gratuito(a)/(i)/(e)*
Graus: *gradi*
Grave(s): *grave(i)*
Grávida(s): *incinta(e)*
Graxa (para sapatos): *grasso per le scarpe*
Grelhado(a)/(os)/(as): *alla griglia*
Grosso(a)/(os)/(as): *grosso(a)/(i)/(e)*
Grupo(s): *gruppo(i)*
Guarda-chuva(s): *ombrello(i)*
Guardanapo(s): *tovagliolo(i)*
Guardanapo(s) de papel: *tovagliolo(i) di carta*
Guarda-volume (em estações de trem, hotéis, aeroportos etc.): *deposito bagagli*
Guia(s): *guida(e)*
Guinchar, rebocar: *rimorchiare*
Guincho (veículo): *autoattrezzi*

H

Hall de entrada: *atrio(atri), hall*
Hematoma: *ecchimosi*
Hidromassagem: *idromassaggio*
Hipódromo: *ippodromo*
Hoje: *oggi*
Hora(s): *ora(e)*
Hora do rush: *ora di punta*
Horário(s) (ônibus, trens): *orario, orari*
Horário comercial: *orario di apertura, chiusura*
Horário de visita: *orario di visita*
Horrível(is): *orribile(i)*
Hospedar alguém: *ospitare qualcuno*
Hóspede(s): *ospite(i)*
Hospital(is): *ospedale(i)*
Hotel(éis): *hotel, albergo(ghi)*
Hotel(éis) cinco estrelas: *hotel, albergo(ghi) cinque stelle*

I

Iate: *yacht*
Idade(s): *età*
Idosos: *anziani*
Igreja(s): *chiesa(e)*
Ilegal(is): *illegale(i)*
Ilha(s): *isola(e)*
Imposto(s): *imposta(e)*
Incluso(a)/(os)/(as): *incluso(a)/(i)/(e), compreso(a)/(i)/(e)*
Incluir: *includere*
Incomodar: *disturbare*
Indicar: *indicare*
Indigestão: *indigestione*
Infecção: *infezione*
Infelizmente: *purtroppo*
Inferior: *inferiore*
Informações: *informazioni*
Infração(ões) de trânsito: *infrazione(i)*
Ingresso(s): *biglietto(i) d'ingresso*
Inseto(s): *insetto(i)*
Insônia: *insonnia*
Instalação(ões): *installazione(i)*
Instruções: *istruzioni*
Instrutor(es): *istruttore(i)*
Interessante(s): *interessante(i)*
Intérprete(s): *interprete(i)*
Interruptor(es) de luz: *interruttore(i)*
Interurbano(s): *chiamata(e) interurbana(e)*
Inverno: *inverno*
Ir: *andare*
Isqueiro(s): *accendino(i)*

J

Janeiro: *gennaio*
Janela(s): *finestra(e)*
Jantar(es): *cena(e)*
Jardim(ns): *giardino(i)*
Jardim botânico: *giardino botanico*
Jet ski: *acquascooter*
Joalheiro(s): *gioielliere(i)*
Joalheria(s): *gioielleria(e)*
Jogar (esportes, cassino): *giocare*
Jogo(s): *gioco(chi)*
Jornal(is): *giornale(i)*
Jovem(ns): *giovane(i)*
Julho: *luglio*
Junho: *giugno*

K

Karaokê: *karaoke*
Ketchup: *ketchup*

L

Lã(s): *lana(e)*
Ladrão(ões): *ladro(i)*
Lago(s): *lago(ghi)*
Lagoa(s): *laghetto(i)*
Lâmina(s) de barbear: *lametta(e)*
Lâmpada(s): *lampadina(e)*
Lancha(s): *motoscafo(i)*
Lanche: *spuntino, merenda*
Lanchonete(s): *bar, paninoteca(che)*
Lanterna(s): *torcia(e)*
Largo(a)/(os)/(as): *largo(a), larghi(e)*
Largo(a)/(os)/(as) (roupas): *abbondante(i)*
Lata(s): *lattina(e)*
Lata(s) de lixo: *bidone(i) dell'immondiza, dei rifiuti*
Lavagem a seco: *lavaggio a secco*
Lavagem de roupas: *bucato*
Lavanderia: *lavanderia*
Lavanderia autosserviço: *lavanderia a gettoni*
Legendas (filme): *sottotitoli*
Lembranças: *souvenirs*
Lenço(s): *fazzoletto(i)*
Lenço(s) de papel: *fazzoletto(i) di carta*
Lençóis: *lenzuola*
Lentes de contato: *lenti a contatto*
Lento(a)/(os)/(as): *lento(a)/(i)/(e)*
Ler: *leggere*
Leste: *est*
Levantar (algo): *alzare*
Levantar (da cama): *alzarsi*
Levar: *portare*
Leve(s): *leggero(a)/(i)/(e)*
Ligar (luz, TV, rádio, ar-condicionado etc.): *accendere*
Ligação(ões) internacional: *chiamata(e) internazionale*
Ligação(ões) a cobrar: *chiamata(e) a carico del destinatario*
Limite de velocidade: *limite di velocità*
Limpar: *pulire*
Limpeza: *pulizia*
Limpo(a)/(os)/(as): *pulito(a)/(i)/(e)*
Limusine: *limousine*
Liquidação(ões): *svendita(e), liquidazione(i)*
Liso(a)/(os)/(as) (sem estampa): *tinta unita*
Lista(s) telefônica: *elenco(chi) telefonico*
Livraria(s): *libreria(e)*
Litro(s): *litro(i)*
Livre(s): *libero(a)/(i)/(e)*
Livro(s): *libro(i)*
Local(ais): *posto(i), locale(i)*
Localização(ões): *localizzazione(i)*
Loção(ões): *lozione(i)*
Loção(ões) pós-barba: *dopobarba*
Logo: *subito*
Loja(s): *negozio(zi)*
Loja(s) de conveniências: *negozio(zi) di convenienza*
Loja(s) de departamento: *grande(i) magazzino(i)*
Lojinha(s) de presentes (em hotéis): *articoli regalo*
Longe: *lontano*
Lotado(a)/(os)/(as), cheio(a)/(os)/(as): *affollato(a)/*

(i)/(e), pieno(a)/(i)/(e), stracolmo(a)/(i)/(e)
Louça(s): *porcellana (e)*
Lua de mel: *luna di miele*
Lugar(es): *posto(i)*
Luva(s): *guanto(i)*
Luz(es): *luce(i)*

M

Maio: *maggio*
Maiô(s): *costume(i) da bagno*
Mais: *più*
Maître: *capo cameriere*
Mala(s): *valigia(e)*
Maleta(s) de mão: *valigia(e) a mano*
Mal-educado(a)/(os)/(as): *sgarbato(a)/(i)/(e)*
Mal-entendido(s): *malinteso(i)*
Mamadeira(s): *biberon*
Manga(s) (roupa): *manica(che)*
Manhã(s): *mattina(e)*
Manicure(s): *manicure(i)*
Mapa(s): *mappa(e), carta(e) geografica(che)*
Mapa(s) rodoviário(s): *carta(e) stradale(i), carta(e) automobilistica(che)*
Maquiagem(ens): *trucco(chi)*
Máquina(s) de lavar: *lavatrice(i)*
Máquina(s) fotográfica(s): *macchina(e) fotografica(che)*
Mar(es): *mare(i)*
Mar Adriático: *Mar Adriatico*
Mar Jônico: *Mar Ionio*
Mar Lígure: *Mar Ligure*
Mar Mediterrâneo: *Mar Mediterraneo*
Mar Tirreno: *Mar Tirreno*
Marcar um horário: *fissare un appuntamento*
Março: *marzo*
Marron(s): *marrone(i)*
Matinê: *matinée*
Mau(s): *cattivo(i)*
Mecânico(s): *meccanico(ci)*
Médico(a)/(os)/(as): *medico(ci)*
Medida(s): *misura(e)*
Melhor do que: *meglio che*
Mensagem(ens): *messaggio(i)*
Mercado(s): *mercato(i)*
Mergulhar: *fare immersione*
Mergulhar (saltar): *tuffarsi*
Mês, meses: *mese(i)*
Mesa: *tavolo*
Mesmo(s)/(a)/(as) (adj.): *stesso(a)/(i)/(e), solito(a)/(i)/(e)*
Mesquita(s): *moschea(ee)*
Metade(s): *metà*
Metrô: *metropolitana*
Milhagem: *programma miglia*
Mirante(s): *belvedere*
Missa(s): *messa(e)*
Mobília(s): *mobilia (e)*
Mochila(s): *zaino(i)*
Moderno(a)/(os)/(as): *moderno(a)/(i)/(e)*
Moeda(s): *moneta(e)*
Moeda(s) corrente(s): *moneta(e) a corso legale*
Montanha(s): *montagna(e)*
Montanha-russa: *montagne russe*
Morar: *abitare*
Mordomo(s): *maggiordomo(i)*
Morro(s): *collina(e)*
Mosca(s): *mosca(che)*

Mosteiro(s): *monastero(i)*
Mostrar: *mostrare*
Motorista(s): *conducente(i), guidatore(i)*
Muçulmano(s): *musulmano(i)*
Mudar: *cambiare*
Muito(s)/(a)/(as): *molto(a)/(i)/(e)*
Muletas: *stampelle*
Multa(s): *multa(e)*
Multa(s) de trânsito: *multa(e)*
Multar: *multare*
Museu(s): *museo(ei)*
Música(s): *musica(che)*

N

Nacionalidade(s): *nazionalità*
Nada: *niente*
Nadar: *nuotare*
Não perturbe: *non disturbare*
Natação: *nuoto*
Natal: *Natale*
Navio(s): *nave(i)*
Neblina: *nebbia*
Nevar: *nevicare*
Neve: *neve*
No exterior: *all' estero*
Norte: *nord*
Novembro: *novembre*
Novo(a)/(os)/(as): *nuovo(a)/(i)/(e)*
Nublado: *nuvoloso*
Nunca: *mai*

O

Obrigado: *grazie*
Oceano(s): *oceano(i)*
Oceano Atlântico: *Oceano Atlantico*
Oceano Pacífico: *Oceano Pacifico*
Óculos: *occhiali*
Óculos de sol: *occhiali da sole*
Ocupado(a)/(os)/(as): *occupato(a)/(e)/(i)*
Oeste: *ovest*
Oficina(s) mecânica(s): *officina(e) meccanica(che), di riparazione*
Olhar: *guardare*
Onda(s): *onda(e)*
Ônibus: *autobus*
Ontem: *ieri*
Ópera(s): *opera(e)*
Orquestra(s): *orchestra(e)*
Ótimo(a)/(os)/(as): *ottimo(a)/(i)/(e)*
Ouro: *oro*
Outono: *autunno*
Outubro: *ottobre*
Ouvir: *sentire, udire*

P

Paciente(s) (subs., adj.): *paziente(i)*
Pacote(s): *pacco(chi)*
Padaria(s): *panetteria(e)*
Padre(s): *prete(i)*
Pagamento(s): *pagamento(i)*
Pagar: *pagare*
País(es): *paese(i)*
Palácio(s): *palazzo(i)*
Palito(s) de dente: *stuzzicadenti*
Panela(s): *pentola(e)*
Panfleto(s), volante(s): *volantino(i)*
Pano(s) de limpeza: *straccio(ci), cencio(ci)*
Papel higiênico: *carta igienica*
Parabéns, felicidades (aniversário, felicitações): *auguri*

Parabéns (congratulações): *complimenti, congratulazioni*
Parar (alguma coisa): *fermare*
Parar um movimento próprio: *fermarsi*
Parar (de fazer alguma coisa): *smettere*
Parlamento(s): *parlamento(i)*
Parque(s): *parco(chi)*
Parque de diversões: *luna park*
Parque(s) temático(s): *parco(chi) tematico(i)*
Parquímetro(s): *parcometro(i)*
Parquinho(s) para crianças: *parco(chi) giochi*
Partida(s) (aviões): *partenza(e)*
Passagem(ens), bilhete(s): *biglietto(i)*
Passagem(ens) aérea(s): *biglietto(i) aereo(i)*
Passagem(ens) de ida e volta: *biglietto(i) di andata e ritorno*
Passagem(ens) só de ida: *biglietto(i) di solo andata*
Passaporte(s): *passaporto(i)*
Passar a ferro: *stirare*
Passar férias: *passare, trascorrere le vacanze, villeggiare*
Pássaro(s): *uccello(i)*
Passeio(s) turístico(s): *gita(e) turistica(che)*
Passeio(s) de barco: *giro(i) in barca*
Pasta(s) de dente: *dentifricio(ci)*
Patim(ins) (para andar no gelo): *pattino(i) da ghiaccio*
Patim(ins) (de rodas): *pattino(i) a rotelle*
Patinação: *pattinaggio*
Pedaço(s): *pezzo(i)*
Pedágio(s): *pedaggio(gi)*
Pedicure: *pedicure*
Pedir, fazer o pedido (restaurantes, lanchonetes etc.): *ordinare*
Pedras preciosas: *pietre preziose*
Pegar (ônibus, metrô, trem): *prendere*
Peixe(s): *pesce(i)*
Pele(s): *pelle(i)*
Pelo menos: *almeno*
Penhasco(s): *promontorio(ri)*
Pensão(ões): *pensione(i)*
Pensão(ões) completa(s): *pensione(i) completa(e)*
Pensar: *pensare*
Pente(s): *pettine(i)*
Pentear: *pettinare*
Pequeno(a)/(os)/(as): *piccolo(a)/(i)/(e)*
Perder: *perdere*
Perder (voo, ônibus, trem etc.): *perdere*
Perdido(a)/(os)/(as) (adj.): *perso(a)/(i)/(e), smarrito(a)/(i)/(e) (oggetto)*
Pergunta(s): *domanda(e)*
Perigo(s): *pericolo(i)*
Perigoso(a)/(os)/(as): *pericoloso(a)/(i)/(e)*
Pérola(s): *perla(e)*
Pertencer: *appartenere*
Perto: *vicino*
Perturbar: *disturbare*
Pesado(a)/(os)/(as): *pesante(i)*
Pescar: *pescare*

Pia(s): *lavello(i), acquaio, acquai*
Piada(s): *barzelletta(e)*
Picada(s) de inseto: *puntura(e) di insetto*
Pilha(s): *pila(e)*
Pílula(s): *pillola(e)*
Pingar: *gocciolare*
Pior do que: *peggio di*
Piquenique: *picnic*
Piscina(s): *piscina(e)*
Piscina(s) coberta(s): *piscina(e) coperta(e)*
Placa(s): *segnale(i)*
Polícia: *polizia*
Ponte(s): *ponte(i)*
Ponto(s) de encontro: *punto(i) di incontro*
Ponto(s) de ônibus: *fermata(e) dell'autobus*
Ponto inicial/final de ônibus: *capo linea*
Ponto(s) de táxi: *fermata(e) taxi*
Pôr, colocar: *mettere*
Porção(ões): *porzione(i)*
Pôr(es) do sol: *tramonto(i)*
Porto(s): *porto(i)*
Portão(ões): *cancello(i)*
Porteiro(s): *portiere(i)/ portinaio/portinai*
Posto(s) de gasolina: *distributore(i) di benzina*
Praça(s): *piazza(e)*
Praia(s): *spiaggia(gi)*
Prato(s) (culinária): *piatto(i)*
Prato(s) principal(ais): *piatto(i) principale(i)*
Precisar: *avere bisogno*
Preço(s): *prezzo(i)*
Prédio(s): *edificio(ci)*
Preencher (formulário, ficha): *compilare*
Preferido(s)/(a)/(as): *preferito(a)/(i)/(e)*
Presente(s): *regalo(i)*
Preto(a)/(os)/(as): *nero(a)/(i)/(e)*
Previsão do tempo: *previsione del tempo*
Primavera: *primavera*
Primeiro(s) prato(s): *primo(i) piatto(i)*
Procurar: *cercare*
Proibido estacionar: *divieto di sosta*
Pronto(a)/(os)/(as): *pronto(a)/(i)/(e)*
Protetor(es) solar(es): *filtro(i) solare(i)*
Provador(es) (lojas): *camerino(i)*
Pulga(s): *pulce(i)*
Pulseira(s): *braccialetto(i)*

Q

Quadra(s) de esportes: *campo(i) di gioco*
Quadra(s) de basquete: *campo(i) da pallacanestro*
Quadra(s) de tênis: *campo(i) da tennis*
Quadro(s) (pintura): *quadro(i)*
Quando: *quando*
Quantia: *quantità*
Quanto(s)/(a)/(as): *quanto(i)/(a)/(e)*
Quarta-feira: *mercoledì*
Quarteirão(ões): *isolato(i)*

Quarto(s) (dormitório): *camera(e)*
Quarto(s) duplo(s): *camera(e) doppia(e)*
Quarto(s) de solteiro: *camera(e) singola(e)*
Quarto(s) de casal: *camera(e) matrimoniale(i)*
Quarto(s) com café da manhã incluído: *camera(e) con la prima colazione inclusa*
Quase: *quasi*
Quem: *chi*
Quente(s): *caldo(a)/(i)/(e)*
Quilo(s): *chilo(i)*
Quilograma(s): *chilogrammo(i)*
Quilometragem: *chilometraggio*
Quilometragem livre: *chilometraggio libero*
Quilômetro(s): *chilometro(i)*
Quinta-feira: *giovedì*

R

Rainha(s): *regina(e)*
Ramal(ais) de telefone: *numero(i) interno(i)*
Rápido(a)/(os)/(as): *veloce(i)*
Raquete(s): *racchetta(e)*
Rebocar: *rimorchiare*
Recado(s): *messaggio(gi)*
Receita(s) médica(s): *ricetta(e) medica(che)*
Receita(s) culinária(s): *ricetta(e) culinaria(e)*
Recepção(ões): *reception*
Recibo(s): *ricevuta(e)*
Reclamação(ões): *reclamo(i)*
Recomendar: *consigliare, raccomandare*
Recusar: *rifiutare*
Reembolso(s): *rimborso(i)*
Refeição(ões): *pasto(i)*
Refrigerante(s): *bevanda(e)*
Região(ões): *regione(i)*
Religião(ões): *religione(i)*
Relógio(s) de parede/mesa: *orologio(gi) da muro*
Relógio(s) de pulso: *orologio(gi) da polso*
Remédio(s): *medicina(e)*
Reservar (mesa, hotel): *prenotare*
Reserva(s): *prenotazione(i)*
Resort(s): *villaggio(gi) turistico(i), resort*
Ressaca(s): *sbornia(e)*
Revista(s): *rivista(e)*
Riacho(s): *ruscello(i)*
Rinque(s) de patinação: *pista(e) di pattinaggio*
Rio(s): *fiume(i)*
Rir: *ridere*
Rodovia(s): *autostrada(e)*
Rótulo(s): *etichetta(e)*
Roubado(s): *rubato(i)*
Roubar: *rubare*
Roubo(s): *furto(i)*
Roupa(s) de mergulho: *tuta(e) subacquea(quee)*
Roupa(s): *abbigliamento(i)*
Roupa de cama, mesa e banho: *biancheria*
Roupa íntima: *biancheria intima*
Roxo(a)/(os)/(as): *viola*
Rua(s) de mão dupla: *via(e) a doppio senso*

Rua(s) de mão única: *via(e) a senso unico*
Rua(s) principal(ais): *via(e) principale(i)*
Rua(s) sem saída: *vicolo(i) cieco(chi)*

S

Sábado: *sabato*
Saber: *sapere*
Sabonete(s): *saponetta(e)*
Saca-rolhas: *cavatappi*
Sacar (dinheiro): *prelevare*
Saco(s): *sacco(chi)*
Saco(s) de dormir: *sacco(chi) a pelo*
Saco(s) plástico(s): *sacchetto(i), busta(e) di plastica*
Saguão(ões): *atrio(ri)*
Saída(s): *uscita(e)*
Saída(s) de emergência: *uscita(e) di emergenza*
Sair: *uscire*
Sala(s) de espera: *sala(e) d'aspetto*
Sala(s) de embarque: *sala(e) di imbarco*
Sala(s) de ginástica: *palestra(e)*
Salão(ões) de jogos: *sala(e) da gioco*
Salva-vidas: *bagnino*
Sanduíche(s): *sandwich*
Sangrar: *sanguinare*
Saudações: *saluti*
Saúde: *salute*
Saúde! (ao fazer um brinde): *Alla salute!*
Sauna(s): *sauna(e)*
Secretária(s) eletrônica(s): *segreteria(e) telefonica(che)*
Secador(es) de cabelo: *asciugacapelli, fon*
Seda: *seta*
Segunda-feira: *lunedì*
Segundo(s) prato(s): *secondo(i) piatto(i)*
Segurança: *sicurezza*
Seguro(a)/(os)/(as) (adj.): *sicuro(a)/(i)/(e)*
Seguro(s) (de carro, casa etc.): *assicurazione(i)*
Seguro(s) saúde: *assicurazione(i) sanitaria(ie)*
Seguro(s) total(ais): *assicurazione(i) totale(i), casco(chi)*
Seguradora(s): *società di assicurazione*
Selo(s): *francobollo(i)*
Sem: *senza*
Semáforo(s): *semaforo(i)*
Semana(s): *settimana(e)*
Sempre: *sempre*
Sentar: *sedersi*
Separado(s)/(os)/(as) (independentes): *separato(a)/(i)/(e)*
Serviço de despertador: *servizio sveglia*
Serviço de limpeza: *servizio di pulizia*
Serviço de manobrista: *servizio posteggiatore*
Serviço de quarto: *servizio in camera*
Setembro: *settembre*
Sexta-feira: *venerdì*
Shopping: *centro commerciale*
Silêncio: *silenzio*
Silencioso(a)/(os)/(as): *silenzioso(a)/(i)/(e)*

Sinagoga(s): *sinagoga(ghe)*
Sinuca(s): *biliardo(i)*
Site(s) na internet: *sito(i) internet*
Smoking: *smoking*
Sobremesa: *dessert*
Socorro: *soccorso*
Soletrar: *fare lo spelling*
Solteira(s): *nubile(i)*
Solteiro(s): *celibe(i)*
Sorvete(s): *gelato(i)*
Sozinho(a)/(os)/(as): *solo(a)/(i)/(e)*
Sugerir: *suggerire*
Sujo(a)/(os)/(as): *sporco(a)/(chi)/(che)*
Sul: *sud*
Superlotação (aviões): *overbooking*
Supermercado(s): *supermercato(i)*
Supervisionar: *soprintendere*
Suvenir (lembrança, recordação): *souvenir*

T

Talão(ões) de cheques: *libretto(i) degli assegni*
Talco(s): *borotalco(chi)*
Talheres: *posate*
Talvez: *forse*
Tamanho(s): *misura(e), taglia(e)*
Taxa(s): *tassa(e)*
Taxa(s) de câmbio: *tasso(i) di cambio*
Táxi: *taxi, tassì*
Teatro(s): *teatro(i)*
Tecido(s): *tessuto(i)*
Telefonar: *telefonare*
Telefone(s): *telefono(i)*
Telefone(s) celular(es): *telefono(i) cellulare(i)*
Telefone(s) público(s): *telefono(i) pubblico(i)*
Telefonema(s) local(ais): *chiamata(e) urbana(e)*
Telefonema(s) de longa distância: *chiamata(e) interurbana(e)*
Telefonista(s): *telefonista(e)*
Televisão(ões): *televisore(i), TV*
Televisão a cabo: *pay TV*
Temperatura(s): *temperatura(e)*
Tempero(s): *condimento(i)*
Tempo (clima): *tempo*
Tempo livre: *tempo libero*
Ter: *avere*
Terça-feira: *martedì*
Termômetro(s): *termometro(i)*
Terno(i): *completo(i)*
Térreo(s): *pianterreno(i), pianoterra*
Tesoura(s): *forbici*
Teto(s) solar(es): *tetto(i) apribile*
Tipo(s) de sangue: *gruppo(i) sanguigno(i)*
Tirar fotografias: *scattare foto*
Toalete(s): *toilette(s)*
Toalha(s) de banho: *asciugamano(i) grande(i)*
Toalha(s) de mesa: *tovaglia(e)*
Toalha(s) de rosto: *asciugamano(i) piccolo(i)*
Torneira(s): *rubinetto(i)*
Torradeira(s): *tostapane(i)*
Touca(s) de banho: *cuffia(e) da bagno*
Tradução(ões): *traduzione(i)*
Traduzir: *tradurre*

Tráfego: *traffico*
Trailer: *roulotte, camper*
Travesseiro(s): *cuscino(i)*
Travessia: *traversata*
Trazer: *portare*
Trem(ns): *treno(i)*
Tripulação: *equipaggio*
Trocado(s): *spiccioli*
Trocar: *cambiare*
Troco: *resto*
Túnel(eis): *tunnel(s), galleria(e)*
Turista(s): *turista(i)/(e)*

U

Último(a)/(s)/(as): *ultimo(i)/(a)/(e)*
Úmido(a)/(os)/(as): *umido(a)/(i)/(e)*
Unidade(s): *unità*
Unidade(s) monetária(s): *unità monetaria(e)*
Uniforme(s): *uniforme(i)*
Urso(s): *orso(i)*
Usar: *usare*
Útil(eis): *utile(i)*

V

Vale(s) (comprovante de pagamento): *buono(i)*
Válido(a)/(os)/(as): *valido(a)/(i)/(e)*
Valor(es): *valore(i)*
Vara(s) de pescar: *canna(e) da pesca*
Varanda(s): *veranda(e)*
Vazio(a)/(os)/(as): *vuoto(a)/(i)/(e)*
Vegetariano(a)/(os)/(as): *vegetariano(a)/(i)/(e)*
Vela(s): *candela(e)*
Veleiro(s): *veliero(i)*
Velho(a)/(os)/(as): *vecchio(a)/(chi)/(chie)*
Veneno(s): *veleno(i)*
Venenoso(a)/(os)/(as): *velenoso(a)/(i)/(e)*
Ventilador(es): *ventilatore(i)*
Ver: *vedere*
Verão: *estate*
Verdadeiro(a)/(os)/(as): *vero(a)/(i)/(e)*
Verde(s): *verde(i)*
Verificar: *controllare*
Vermelho(a)/(os)/(as): *rosso(a)/(i)/(e)*
Vespa(s): *vespa(e)*
Vestido(s): *vestito(i)*
Viagem(ns): *viaggio(gi)*
Viagem(ns) de férias: *viaggio(gi) di vacanza*
Viagem(ns) de negócios: *viaggio(gi) d'affari*
Viajar: *viaggiare*
Viajar a negócios: *vaggiare per affari, per lavoro*
Vinho(s): *vino(i)*
Vinho(s) branco(s): *vino(i) bianco(chi)*
Vinho(s) tinto(s): *vino(i) rosso(i)*
Visitar: *visitare*
Visto(s) de entrada: *visto(i) di entrata*
Voltagem(ns): *voltaggio(gi)*
Vomitar: *vomitare*

Voo(s): *volo(i)*

Voo(s) de conexão: *volo(i) di coincidenza*

Voo(s) fretado(s): *volo(i) charter*

Voo(s) sem escalas: *volo(i) senza scalo*

W

Windsurfe: *windsurfing*

X

Xadrez (jogo): *scacchi*

Xadrez (tecido): *a quadri*

Xampu: *shampoo*

Xarope(s): *sciroppo(i)*

Xícara(s): *tazza(e)*

Z

Zoológico: *zoo*

Glossário Italiano-Português

A

A buon mercato: barato(a)/(os)/(as)

A fantasia: estampado (a)/(os)/(as)

A quadri: xadrez (tecido)

Abbassare: diminuir, abaixar (ar-condicionado, som)

Abbigliamento: roupas

Abbondante: largo(a) (roupas)

Abbronzarsi: bronzear-se

Abbronzatura(e): bronzeado(s)

Abitare: morar

Accendere: ligar (luz, TV, rádio, ar-condicionado etc.)

Accendino(i): isqueiro(s)

Acido(a)/(i)/(e): azedo(a)/(os)/(as)

Acquaio(ai): pia(s)

Acqua minerale gasata: água com gás

Acqua minerale: água mineral

Acqua potabile: água potável

Acquascooter: jet ski

Acquistare: comprar

Adesso: agora

Aeroporto(i): aeroporto(s)

Affittare (bene imobile): alugar um bem imóvel

Affollato(a)/(i)/(e): lotado(a)/(os)/(as), cheio(a)/(os)/(as)

Agente(i) di viaggio: agente(s) de viagens

Agente(i) immobiliare(i): corretor(es) de imóveis

Agenzia(e) di viaggi: agência(s) de viagens

Agosto: agosto

Aiutare: ajudar

Aiuto: ajuda

Albergo(ghi): hotel(éis)

Albergo(ghi) cinque stelle: hotel(éis) cinco estrelas

All'estero: no exterior

Alla griglia: grelhado(a)/(os)/(as)

Alla salute!: Saúde! (ao fazer um brinde)

Allarme antincendio: alarme de incêndio

Almeno: pelo menos
Alto(a)/(i)/(e): alto(a)/(os)/(as)
Alzare: levantar (algo)
Alzarsi: levantar (da cama)
Ambasciata(e): embaixada(s)
Ambasciatore(i): embaixador(es)
Andare: ir
Angolo(i): esquina(s)
Antichità: antiguidades
Antipasto(i): entrada(s) (refeição)
Antiquariato: antiquário
Anziano(a)/(i)/(e): idoso(a)/(os)/(as)
Aperitivo(i): aperitivo(s)
Aperto(a)/(i)/(e): aberto(a)/(os)/(as)
Appartenere: pertencer
Appuntamento(i): compromisso(s) (hora marcada)
Apribottiglie: abridor de garrafas
Aprile: abril
Aprire: abrir
Apriscatole: abridor de latas
Aria condizionata: ar-condicionado
Arrivare: chegar
Arrivo(i): chegada(s)
Articoli regalo: lojinha de presentes (em hotéis)
Artigianato(i): artesanato(s)
Ascensore(i): elevador(es)
Asciugacapelli, fon: secador de cabelo
Asciugamano(i) grande(i): toalha(s) de banho
Asciugamano(i) piccolo(i): toalha(s) de rosto
Aspettare: esperar
Assegno(i): cheque(s)
Assicurazione sanitaria: seguro saúde
Assicurazione totale, casco: seguro total
Assicurazione: seguro (de carro, casa etc.)
Assistente(i) di volo: comissário(a)/(os)/(as) de bordo, aeromoça(s)
Atrio(ri): saguão(ões)
Auguri: parabéns, felicidades (aniversário, felicitações)
Aumentare: aumentar (ar-condicionado, som)
Auto a noleggio: carro de aluguel
Autoattrezzi: guincho (veículo)
Autobus: ônibus
Autostazione: estação rodoviária
Autostrada(e): estrada(s), rodovia(s)
Autunno: outono
Avere bisogno: precisar
Avere: ter
Azienda(e): companhia(s), empresa(s)
Azzurro(a)/(i)/(e): azul médio

B

Baffi: bigode(s)
Bagaglio(gli): bagagem(ns)
Bagaglio(gli) a mano: bagagem(ns) de mão
Bagnino(i): salva-vidas
Bagno(i): banheiro(s) completo(s), banho(s) (de banheira, de mar)
Ballare, danzare: dançar
Balsamo(i): condicionador(es) (para cabelos)
Bambino(a)/(i)/(e): criança(s)

Banca(che): banco(s)
Banco accettazione, banco check-in: balcão de check-in
Banco della compagnia aerea: balcão de companhia aérea
Bancomat: caixa eletrônico de banco
Bar: bar (es), lanchonete(s)
Barba(e): barba(s)
Barca(che): barco(s)
Barzelletta(e): piada(s)
Basso(a)/(i)/(e): baixo(a)/(os)/(as) (estatura, coisas)
Bateria(e): pilha(s)
Bello(a)/(i)/(e): bonito(a)/(os)/(as)
Belvedere: mirante
Benvenuto(a)/(i)/(e) a...: Bem-vindo(s)/(os)/(as) a...
Benzina senza piombo: gasolina sem chumbo
Benzina: gasolina
Bere: beber
Berretto(i): boné(s)
Bevanda(e): refrigerante(s), bebida(s)
Biancheria: roupa de cama, mesa e banho
Biancheria intima: roupa íntima
Bianco(a)/(chi)/(che): branco (a)/(os)/(as)
Biberon: mamadeira(s)
Bibita(e): bebida(s)
Biblioteca(che): biblioteca(s)
Bicchiere(i): copo(s)
Bicicletta(e): bicicleta(s)
Bidone(i) dell'immondiza, dei rifiuti: lata(s) de lixo
Biglietteria(e): bilheteria(s) (cinema, teatro, estação de ônibus, trem)
Biglietto(i): entrada(s), passagem(s), bilhete(s)
Biglietto(i) aereo(i): passagem(ns) aérea(s)
Biglietto(i) d'ingresso: ingresso(s)
Biglietto(i) di andata e ritorno: passagem(ns) de ida e volta
Biglietto(i) di solo andata: passagem(ns) só de ida
Biliardo(i): bilhar(es), sinuca(s)
Binocolo(i): binóculo(s)
Blu: azul-marinho
Bocca(che): boca(s)
Boccale(i): caneca(s)
Bollito(a)/(i)/(e): fervido(a)/(os)/(as)
Borotalco(chi): talco(s)
Borsa(e) dell'acqua calda: bolsa(s) de água quente
Borsa(e): bolsa(s) de mão
Borsetta(e): bolsa(s)
Bosco(chi): bosque(s)
Bottiglia(e): garrafa(s)
Bottone(i): botão(ões)
Braccialetto(i): pulseira(s)
Brunch: *brunch*
Brutto(a)/(i)/(e): feio(a)/(os)/(as)
Bucato: lavagem de roupas
Buffo(a)/(i)/(e): engraçado(a)/(os)/(as)
Buio(a)/(i)/(e): escuro(a)/(os)/(as)
Buon appetito! Bom apetite!
Buon Natale!: Feliz Natal!
Buona fortuna!: Boa sorte!

Buono: vale (comprovante de pagamento)
Business class: classe executiva
Bussola(e): bússola(s)
Busta(e): envelope(s)
Busta(e) di plastica: saco(s) plástico(s)

C

Cabina di pilotaggio (avião): cabine do comandante
Caffettiera(e) elettrica(che): cafeteira(s) elétrica(s)
Caldo(a)/(i)/(e): quente(s)
Cambiare: mudar/trocar
Camera(e): quarto (dormitório)
Camera(e) con la prima colazione inclusa: quarto(s) com café da manhã incluído
Camera(e) doppia(e): quarto(s) duplo(s)
Camera(e) matrimoniale(i): quarto(s) de casal
Camera(e) singola(e): quarto(s) de solteiro
Cameriere(a)/(i)/(e): camareiro(a)/(os)/(as), garçom(ons), garçonete(s)
Camerino(i): provador(es) (lojas)
Campeggiare: acampar
Campeggio(gi): acampamento(s), camping
Camping: acampamento(s), camping
Camper: trailer
Completo(i): terno(s)
Campo(i) da pallacanestro: quadra(s) de basquete
Campo(i) da tennis: quadra(s) de tênis
Campo(i) di gioco: quadra(s) de esportes
Cancello(i): portão(ões)
Candela(e): vela(s)
Canna(e) da pesca: vara(s) de pescar
CAP - Codice di Avviamento Postale: CEP - código de endereçamento postal
Capire: entender
Capo cameriere: maître
Capo linea: ponto inicial/final de ônibus
Cappello(i): chapéu(s)
Carburante(i): combustível(eis)
Carne alla griglia: churrasco
Caro(a)/(i)/(e): caro(a)/(os)/(as)
Carta(e) automobilistica(che): mapa(s) rodoviário(s)
Carta(e) d'imbarco: cartão(ões) de embarque
Carta(e) di credito: cartão(ões) de crédito
Carta(e) geografica(che): mapas
Carta igienica: papel higiênico
Carta(e) stradale(i): mapa(s) rodoviário(s)
Cartolina(e): cartão(ões)-postal(is)
Cascata(e): cachoeira(s)
Casinò: cassino(s)
Cassaforte(i): cofre(s)
Cassiere(i) (em banco, lojas, supermercado): caixa(s) (pessoa)
Castello(i): castelo(s)
Cattivo(a)/(i)/(e): mau(s), má(s)

Cattolico(a), cattolici(che): católico(a)/(os)/(as)
Cavallo(i): cavalo(s)
Cavatappi: saca-rolhas
Caverna(e): caverna(s)
Celeste: azul-claro
Celibe(i): solteiro(s)
Cena(e): jantar(es)
Cencio(ci): pano(s) de limpeza
Centro commerciale: shopping
Centro finanziario: centro financeiro
Centro storico: centro histórico
Ceramica(che): cerâmica(s)
Cercare: procurar
Certificato(i): certificado(s)
Chi: quem
Chiamata(e) a carico del destinatario: chamada(s), ligação(ões) a cobrar
Chiamata(e) internazionale(i): chamada(s), ligação(ões) internacional(is)
Chiamata(e) interurbana(e): interurbano(s)
Chiamata(e) urbana(e): chamada(s) telefônica(s), telefonema(s) local(is)
Chiave(i): chave(s)
Chiesa(e): igreja(s)
Chilo(i): quilo(s)
Chilogrammo(i): quilograma(s)
Chilometraggio libero: quilometragem livre
Chilometraggio: quilometragem
Chilometro(i): quilômetro(s)
Chiudere: fechar
Chiuso(a)/(i)/(e): fechado(a)/(os)/(as)
Churrascaria: churrascaria
Cibo(i): comida(s)
Ciclovia(e): ciclovia(s)
Cimitero(i): cemitério(s)
Cintura(e) di sicurezza: cinto(s) de segurança
Cintura(e): cinto(s)
Classe(i): classe(s)
Classe economica: classe econômica
Climatizzatore: ar-condicionado (aparelho)
Codice(i): código(s)
Coincidenza(e): baldeação(ões)
Colf: faxineira(s)
Collana(e): colar(es)
Collina(e): morro(s)
Colore(i): cor(es)
Coltello(i): faca(s)
Combustibile(i): combutível(is)
Cominciare, iniziare: começar
Commissariato (polizia): delegacia de polícia
Commissione(i): comissão(ões)
Compagnia(e) aerea(ee): companhia(s) aérea(s)
Compartimento(i): compartimento(s)
Compilare: preencher (formulário, ficha)
Compilare un assegno: fazer um cheque, preencher um cheque
Complimenti: parabéns (congratulações)
Comprare: comprar
Compreso(a)/(i)/(e): incluso(a)/(os)/(as)
Con: com
Concerto(i): concerto(s) (musical)

GLOSSÁRIO ITALIANO / PORTUGUÊS

Condimento(i): tempero(s)
Conducente(i): motorista(s)
Confermare: confirmar
Confortevole(i): confortável(eis)
Congelatore(i): congelador(es)
Congratulazioni: congratulações
Conoscere: conhecer alguém
Consegna(e): entrega(s)
Consegnare: entregar
Consigliare: recomendar
Consolato(i): consulado(s)
Conto(i): conta(s) (restaurantes)
Contro: contra
Controllare: verificar
Conveniente(i): barato(a)/(os)/(as)
Coperta(e): cobertor(es)
Copia: cópia
Corsa(e): corrida(s)
Corsia d'emergenza: acostamento
Corto(a)/(i)/(e): curto(a)/(os)/as)
Costa(e): costa(s) (litoral)
Costare: custar
Costo(i) extra: custo(s) adicional(ais)
Costume(i) da bagno: maiô(s)
Credito(i): crédito(s)
Cristallo(i): cristal(ais)
Croce(i): cruz(es)
Crociera(e): cruzeiro(s)
Cucchiaio(ai): colher(es)
Cucinare: cozinhar
Cuffia(e) da bagno: touca(s) de banho
Cuoco(a)/(chi)/(che): cozinheiro(a)/(os)/(as)
Cuoio: couro
Cuscino(i): travesseiro(s)

D

Danneggiare: danificar
Danneggiato(a)/(i)/(e): danificado(a)/(os)/(as)
Danza(e): dança(s)
Dare: dar
Data(e) di nascita: data(s) de nascimento
Data(e): data(s)
Decollare: decolar
Decollo: decolagem
Denaro: dinheiro
Dentifricio(ci): pasta(s) de dente
Dentro: dentro
Dépliant: fôlder
Deposito(i) bagagli: armário(s), guarda-volume(s) (em estações de trem, hotéis, aeroportos etc.)
Dessert: sobremesa
Destinazione(i): destino(s)
Destra: direita
Dettaglio(i): detalhe(s)
Di seconda mano: de segunda mão
Diamante(i): diamante(s)
Dicembre: dezembro
Dichiarare: declarar
Diesel: diesel
Dieta(e): dieta(s)
Difficile(i): difícil(eis)
Diminuire: diminuir, abaixar (ar-condicionado, som)
Dire: dizer
Direttore(i)/(trice)/(trici): gerente(s) de banco, hotel
Direzione(i): direção(ões)
Diritto: direto
Disabile(i): deficiente(s) físico(s)

Disponibile(i): disponível(eis)
Disponibilità: disponibilidade(s)
Distributore(i) di benzina: posto(s) de gasolina
Disturbare: incomodar, perturbar
Ditta(e): companhia(s), empresa(s)
Divertente(i): divertido(a)/(os)/(as)
Divertirsi: divertir-se
Dividere: dividir (um quarto etc.)
Divieto di sosta: proibido estacionar
Divorziato(a)/(i)/(e): divorciado(a)/(os)/(as)
Doccia(e): chuveiro, ducha, banho (de chuveiro)
Dogana: alfândega
Dolce(i): doce(s)
Domanda(e): pergunta(s)
Donna(e) di servizio: faxineira(s)
Dopo: depois
Dopobarba: loção pós-barba
Doppiato(a)/(i)/(e): dublado(a)/(os)/(as)
Dormire: dormir
Dottore(i)/(essa)/(esse): médico(a)/(os)/(as)
Dovere: dever (dinheiro a alguém)
Duomo: catedral
Durare: durar
Duro(a)/(i)/(e): duro(a)/(os)(as)

E

Ecchimosi: hematoma(s)
Edicola(e): banca(s) de jornal
Edificio(ci): prédio(s)
Elenco(chi) telefonico(i): lista(s) telefônica
Emergenza(e): emergência(s)
Emicrania: enxaqueca
Entrare: entrar
Entrata(e): entrada(s) (de um prédio, de uma casa)
Equipaggiamento(i): equipamento(s)
Equipaggio(gi): tripulação(ões)
Equipe: equipe(s)
Erba: grama
Errore(i): erro(s)
Esaurito(a)/(e)/(i): esgotado(a)/(os)/(as) (ingressos, mercadoria)
Escursione(i): excursão(ões)
Essere in ritardo: atrasado(a)/(os)/(as)
Est: leste
Estate: verão
Estintore(i): extintor(es) de incêndio
Estraneo(a)/(i)/(e): estranho (a)/(os)/(as) (subst.)
Età: idade(s)
Etichetta(e): rótulo(s)

F

Facile(i): fácil(eis)
Famoso(a)/(i)/(e): famoso(a)/(os)/(as)
Fare acquisti: fazer compras
Fare campeggio: acampar
Fare il check all'aeroporto: fazer o check-in no aeroporto
Fare il check in albergo: fazer o check-in no hotel
Fare il check out: fazer o *check-out* (hotel)
Fare immersione: mergulhar
Fare la barba: fazer a barba
Fare le valigie: fazer as malas

Fare lo spelling: soletrar
Fare spese: fazer compras
Fare un bonifico: fazer uma transferência eletrônica, fazer um doc
Fare un assegno: fazer um cheque, preencher um cheque
Farmacia(e): farmácia(s)
Fazzoletto(i) di carta: lenço(s) de papel
Fazzoletto(i): lenço(s)
Febbraio: fevereiro
Federa(e): fronha(s)
Felice anno nuovo: feliz ano-novo
Ferita(e): ferimento(s)
Fermare: parar (alguma coisa)
Fermarsi: parar um movimento próprio
Fermata(e) dell'autobus: ponto(s) de ônibus
Fermata(e) della metropolitana: estação(ões) de metrô
Fermata(e) taxi: ponto(s) de táxi
Ferro(i) da stiro: ferro(s) de passar roupa
Ferrovia(e): ferrovia(s)
Festa(e): festa(s)
Fiammiferi: fósforos
Filtro(i) solare(i): protetor(es) solar(es)
Finestra(e): janela(s)
Fiore(i): flor(es)
Firma(e): assinatura(s)
Firmare: assinar
Fissare un appuntamento: marcar um horário
Fiume(i): rio(s)
Flash: flash (máquina fotográfica)
Fondo(a)/(i)/(e): fundo(a)/(os)/as)
Fontana(e): chafariz(es), fonte(s)
Forbici: tesoura
Forchetta(e): garfo(s)
Foresta(e): floresta(s)
Fornello(i) (da cucina): fogão(ões)
Forno(i) a microonde/microonde: forno(s) de micro-ondas
Forno(i): forno(s)
Forse: talvez
Forte(i): forte(s)
Fotografare: fotografar
Fotografia(e), foto: fotografia(s)
Fotografo(a)/(i)/(e): fotógrafo(a)/(os)/(as)
Francobollo(i): selo(i)
Freddo(a)/(i)/(e): frio(a)/(os)/(as)
Fresco(a)/(chi)/(che): fresco(a)/(os)/(as)
Freezer: freezer
Frigorifero(i): geladeira(s)
Frutta: fruta
Frutti di mare: frutos do mar
Fumare: fumar
Funzionare: funcionar
Fuoco(chi): fogo(s)
Furto(i): roubo(s)

G

Galleria(e): túnel(eis)
Galleria(e) d'arte: galeria(s) de arte
Gasolio: diesel
Gelata(e): geada(s)
Gelato(i): sorvete(s)
Gennaio: janeiro
Gente: gente
Gentile(i): gentil(is)

Gestore(i): gerente(s) de cinema, restaurante(s), loja(s)
Ghiaccio(ci): gelo(s)
Giallo (a)/(i)/(e): amarelo (a)/(os)/(as)
Giardino botanico: jardim botânico
Giardino(i): jardim(ns)
Giocare: jogar (esportes, cassino)
Giocattolo(i): brinquedo(s)
Gioco(chi): jogo(s)
Gioielleria(e): joalheria(s)
Gioielliere(i): joalheiro(s)
Giono(i) festivo(i): feriado(s)
Giornale(i): jornal(ais)
Giornalmente: diariamente
Giorni feriali: dias úteis
Giovane(i): jovem(ns)
Giovedì: quinta-feira
Giro(i) in barca: passeio(s) de barco
Gita(e) turistica(che): passeio(s) turístico(s)
Giubbotto(i) salvagente(i): colete(s) salva-vidas
Giugno: junho
Gocciolare: pingar
Gola(e): garganta(s)
GPS, navigatore satellitare: GPS (abreviação de *Global Positioning System*)
Gradevole(i): agradável(is)
Gradi: graus
Gradire: gostar
Gramma(i): grama(s) (medida de peso) 100 gramas = 1 etto
Grande(i) magazzino(i): loja(s) de departamento
Grande(i): grande(s)
Grasso per le scarpe: graxa (para sapatos)
Gratuito(a)/(i)/(e): gratuito(a)/(os)/(as)
Grave(i): grave(s)
Grazie: obrigado
Grigio(a)/(i)/(e): cinzento (a)/(os)/(as)
Grosso(a)/(i)/(e): grosso(a)/(os)/(as)
Gruccia(ce): cabide(s)
Gruppo(i) sanguigno(i): tipo(s) de sangue
Gruppo(i): grupo(s)
Guanto(i): luva(s)
Guardare: olhar
Guida(e): guia(s)
Guidare: dirigir
Guidatore(i): motorista(s)

H

Hall: hall
Hotel cinque stelle: hotel(éis) cinco estrelas
Hotel: hotel(éis)

I

Idraulico(i): encanador(es)
Idromassaggio(gi): hidromassagem(ns)
Ieri: ontem
Illegale(i): ilegal(is)
Imbarcare: embarcar
Imbarco: embarque
Imbottigliamento(i): engarrafamento(s) (trânsito)

GLOSSÁRIO ITALIANO / PORTUGUÊS

Impianto(i) sciistico(i): estação(ões) de esqui
Imposta(e): imposto(s)
Impresa(e): companhia(s), empresa(s)
In anticipo: com antecedência
In fretta: depressa
Incassare (un assegno): descontar (cheques)
Incinta(e): grávida(s)
Includere: incluir
Incluso(a)/(i)/(e): incluso(a)/(os)/(as)
Incontrare: encontrar (pessoas)
Indicare: indicar
Indigestione(i): indigestão(ões)
Indirizzo(i) elettronico(i), indirizzo(i) e-mail: endereço(s) de e-mail
Indirizzo(i): endereço(s)
Inferiore(i): inferior(es)
Infermiera(o)/(e)/(i): enfermeira(o)/(as)/(os)
Infezione: infecção
Informazioni: informações
Infrazione(i): infração(ões) de trânsito
Ingorgo(ghi): engarrafamento(s) (trânsito)
Insetto(i): inseto(s)
Insonnia: insônia
Installazione(i): instalação(ões)
Intasamento(i): engarrafamento(s) (trânsito)
Interessante(i): interessante(s)
Interprete(i): intérprete(s)
Interruttore(i): interruptor(es) de luz
Inverno: inverno
Invito(i): convite(s)
Ippodromo(i): hipódromo(s)
Isola(e): ilha(s)
Isolato(i): quarteirão(ões)
Istruttore(i): instrutor(a)/(es)/(as)
Istruzione(i): instrução(ões)

K

Karaoke: karaokê
Ketchup: ketchup

L

Ladro(i): ladrão(ões)
Laghetto(i): lagoa(s)
Lago(ghi): lago(s)
Lametta(e): lâmina(s) de barbear
Lampadina(e): lâmpada(s)
Lana(e): lã(s)
Lancia(ce) di salvataggio: bote(s) salva-vidas
Largo(a)/(ghi)/(ghe): largo(a)/(os)/(as)
Lasciare: deixar
Lattina(e): lata(s)
Lavaggio(gi) a secco: lavagem(ns) a seco
Lavanderia(e) a gettoni: lavanderia(s) autosserviço
Lavanderia(e): lavanderia(s)
Lavatrice(i): máquina(s) de lavar
Lavello(i): pia(s)
Leggere: ler
Leggero(a)/(i)/(e): leve(s)
Lenti a contatto: lentes de contato
Lento(a)/(i)/(e): lento(a)/(os)/(as)
Lenzuola: lençóis
Letto(i) a castello: beliche(s)

Letto(i) matrimoniale: cama(s) de casal (na Itália é *king size*)
Letto(i): cama(s)
Libero(a)/(i)/(e): livre(s)
Libreria(e): livraria(s)
Libretto(i) degli assegni: talão(ões) de cheques
Libro(i): livro(s)
Limite(i) di velocità: limite(s) de velocidade
Limusine: limousine
Liquidazione(i): liquidação(ões)
Litro(i): litro(s)
Locale(i): local(is)
Localizzazione(i): localização(ões)
Lontano(a)/(i)/(e): longe
Lozione(i): loção(ões)
Luce(i): luz(es)
Luglio: julho
Luna di miele: lua de mel
Luna park: parque de diversões
Lunedì: segunda-feira
Lunghezza(e): comprimento(s)
Lungo(a)/(ghi)/(ghe): comprido(a)/(os)/(as)
Lustrascarpe: engraxate(s)

M

Macchina(e) fotografica(che): máquina(s) fotográfica(s)
Magazzino(i): depósito(s)
Maggio: maio
Maggiordomo(i): mordomo(s)
Mai: nunca
Malinteso(i): mal-entendido(s)
Manager: gerente de empresa
Mancanza di corrente elettrica: falta de energia
Mancare: faltar
Mancia(ce): gorjeta(s)
Mangiare: comer
Manica(che): manga(s) (de roupa)
Manicure: manicure
Mappa(e): mapa(s)
Mar Adriatico: Mar Adriático
Mar Ionio: Mar Jônico
Mar Ligure: Mar Lígure
Mar Mediterraneo: Mar Mediterrâneo
Mar Tirreno: Mar Tirreno
Marciapiede(i): calçada(s)
Mare(i): mar(es)
Marrone(i): marrom(ns)
Martedì: terça-feira
Marzo: março
Materasso(i): colchão(ões)
Matinée: matinê
Mattina(e): manhã(s)
Meccanico(a)/(chi)/(che): mecânico(a)/(os)/(as)
Medicina(e): remédio(s)
Medico(i): médico(a)/(os)/(as)
Meglio che: melhor do que
Menu: cardápio
Mercato(i): mercado(s)
Mercoledì: quarta-feira
Merenda(e): lanche(s)
Mese(i): mês(eses)
Messa(e): missa(s)
Messaggio(gi): mensagem(ns)/recado(s)
Metà: metade(s)
Metropolitana(e): metrô(s)
Mettere: pôr, colocar

Minibar: frigobar
Misura(e): tamanho(s), medida(s)
Mobilia(e): mobília(s)
Moderno(a)/(i)/(e): moderno(a)/(os)/(as)
Modulo(i): formulário(s)
Molto(a)/(i)/(e): muito(a)/(os)/(as)
Monastero(i): mosteiro(s)
Moneta(e) a corso legale: moeda(s) corrente(s)
Moneta(e): moeda(s)
Montagna(e): montanha(s)
Montagne russe: montanha-russa
Mosca(che): mosca(s)
Moschea(chee): mesquita(s)
Mostrare: mostrar
Motoscafo(i): lancha(s)
Multa(e): multa(s), multa(s) de trânsito
Multare: multar
Museo(ei): museu(s)
Musica(che): música(s)
Musulmano: muçulmano (a)/(os)/(as)

N

Natale: Natal
Nave(i): navio(s)
Nazionalità: nacionalidade(s)
Nebbia(e): neblina(s)
Negozio(i) di convenienza: loja(s) de conveniências
Negozio(s): loja(s)
Nero(a)/(i)/(e): preto(a)/(os)/(as)
Neve: neve
Nevicare: nevar
Niente: nada
Night club: boate
Noleggiare (bene mobile): alugar um bem móvel
Non disturbare: não perturbe
Nord: norte
Noto(a)/(i)/(e): conhecido(a)/(os)/(as) (famoso)
Novembre: novembro
Nubile: solteira
Numero(i) interno(i): ramal(is) de telefone
Numero(i) sbagliato(i): engano(s) (telefonemas)
Nuotare: nadar
Nuoto: natação
Nuovo(a)/(i)/(e): novo(a)/(os)/(as)
Nuvoloso(a)/(i)/(e): nublado (a)/(os)/(as)

O

Occhiali da sole: óculos de sol
Occhiali: óculos
Occupato(a)/(i)/(e): ocupado(a)/(os)/(as)
Oceano Atlantico: Oceano Atlântico
Oceano Pacifico: Oceano Pacífico
Oceano(i): oceano(s)
Officina(e) meccanica(che)/ di riparazione: oficina(s) mecânica(s)
Oggetti smarriti: achados e perdidos
Oggi: hoje
Ombrello(i): guarda-chuva(s)
Onda(e): onda(s)
Opera(e): ópera(s)
Opuscolo(i): folheto(s)

Ora(e) di punta: hora(s) do rush

Ora(e): hora(s)

Orario(i): horário(s) (de ônibus, trens)

Orario di apertura/chiusura: horário comercial

Orario(i) di visita: horário(s) de visita

Orchestra(e): orquestra(s)

Ordinare: pedir, fazer o pedido (restaurantes, lanchonetes etc.)

Orecchini: brincos

Oro: ouro

Orologio(gi) da muro: relógio(s) de parede/mesa

Orologio(gi) da polso: relógio(s) de pulso

Orribile(i): horrível(eis)

Orso(a)/(i)/(e): urso(a)/(os)/(as)

Ospedale(i): hospital(ais)

Ospitare qualcuno: hospedar alguém

Ospite(i): anfitriã(s)/(ão)/(ões)

Ospite(i): hóspede(s)

Ostello(i) della gioventù: albergue(s) da juventude

Ottimo(a)/(i)/(e): ótimo(a)/(os)/(as)

Ottobre: outubro

Otturato(a)/(i)/(e): entupido(a)/(os)/(as)

Overbooking: superlotação (aviões)

Ovest: oeste

P

Pacco(cchi): pacote(s)

Paese(i): país(es)

Pagamento(i): pagamento(s)

Pagare: pagar

Palazzo(i): palácio(s)

Palestra(e): sala(s) de ginástica

Panetteria(e): padaria(s)

Paninoteca(che): lanchonete(s)

Pannolino(i): fralda(s)

Parcheggiare: estacionar

Parcheggio(ggi): estacionamento(s)

Parco(chi) giochi: parquinho(s) para crianças

Parco(chi) tematico(i): parque(s) temático(s)

Parco(chi): parque(s)

Parcometro(i): parquímetro(s)

Parlamento(i): parlamento(s)

Parlare: falar

Partenza(e): partida(s) (aviões)

Passaporto(i): passaporte(s)

Passare le vacanze: passar férias

Pasto(i): refeição(ões)

Patente(i) di guida: carteira(s) de motorista

Pattinaggio: patinação

Pattino(i) a rotelle: patim(ns) (de rodas)

Pattino(i) da ghiaccio: patim(ns) (para andar no gelo)

Pavimento(i): chão(s)

Pay TV: televisão a cabo

Paziente(i): paciente(s) (subst./adj.)

Pedaggio(ggi): pedágio(s)

Pedicure: pedicure

Peggio di: pior do que

Pelle(i): pele(s)

Pensare: pensar

Pensionato(a)/(i)/(e): aposentado(a)/(os)/(as)

Pensione(i) completa(e):

pensão(ões) completa(s)
Pensione(i): pensão(ões)
Pentola(e): panela(s)
Perdere: perder (voo, ônibus, trem etc.)
Pericolo(i): perigo(s)
Pericoloso(a)/(i)/(e): perigoso(a)/(os)/(as)
Perla(e): pérola(s)
Permesso: com licença
Perso(a)/(i)/(e): perdido(a)/(os)/(as) (adj.)
Pesante(i): pesado(a)/(os)/(as)
Pescare: pescar
Pesce(i): peixe(s)
Pettinare: pentear
Pettine(i): pente(s)
Pezzo(i): pedaço(s)
Piacere: gostar
Piano: baixo (sons), devagar
Pianoterra: térreo(s)
Pianterreno(i): térreo(s)
Piatto(i) principale(i): prato(s) principal(is)
Piatto(i): prato(s) (culinária)
Piazza(e): praça(s)
Piccolo(a)/(i)/(e): pequeno(a)/(os)/(as)
Picnic: piquenique
Pieno(a)/(i)/(e): cheio(a)/(os)/(as), lotado(a)/(os)/(as)
Pietre preziose: pedras preciosas
Pila(e): pilha(s)
Pillola(e): comprimido(s), pílula(s)
Piovere: chover
Piscina(e) coperta(e): piscina(s) coberta(s)
Piscina(e): piscina(s)
Pista(e) di pattinaggio: rinque(s) de patinação
Più: mais
Polizia: polícia
Polizza(e) di assicurazione: apólice(s) de seguro
Pompa(e) di benzina: bomba(s) de gasolina
Ponte(i) di comando (navio): cabine(s) do comandante
Ponte(i): ponte(s)
Porcellana(e): louça(s)
Portabagagli: carregador de bagagem (hotéis)
Portafogli: carteira
Portare: levar, trazer
Portatore(i) di handicap: deficiente(s) físico(s)
Portiere(i): porteiro(s)
Portinaio(ai): porteiro(s)
Porto(i): porto(s)
Porzione(i): porção(ões)
Posacenere: cinzeiro(s)
Posate: talheres
Postino(i): carteiro(s)
Posto(i): lugar(es), local(is)
Pranzo(i): almoço(s)
Preferito(a)/(i)/(e): preferido(a)/(os)/(as)
Prelevare: sacar (dinheiro)
Prendere: buscar (pegar alguma coisa ou alguém em algum lugar), pegar (ônibus, metrô, trem)
Prenotare: reservar (mesa, hotel)
Prenotazione(i): reserva(s)

Presentare: apresentar (uma pessoa para outra)
Prestare: emprestar
Presto: cedo
Prete(i): padre(s)
Previsione del tempo: previsão do tempo
Prezzo(i): preço(s)
Prima(i) colazione(i): café(s) da manhã
Primavera: primavera
Primo(i) piatto(i): primeiro(s) prato(s)
Programma miglia: milhagem
Promontorio(ri): penhasco(s)
Pronto(a)/(i)/(e): pronto(a)/(os)/(as)
Proprietario(a)/(ri)/(rie): dono(a)/(os)/(as)
Pulce(i): pulga(s)
Pulire: limpar
Pulito(a)/(i)/(e): limpo(a)/(os)/(as)
Pulizia(e): limpeza(s)
Punto(i) di incontro: ponto(s) de encontro
Puntura(e) di insetto: picada(s) de inseto
Purtroppo: infelizmente

Q

Quadro(i): quadro(s) (pintura)
Quando: quando
Quantità: quantia(s)
Quanto(a)/(i)/(e): quanto(a)/(os)/(as)
Quasi: quase
Questura (carabinieri): delegacia de polícia

R

Racchetta(e): raquete(s)
Raccomandare: recomendar
Radersi (la barba): barbear-se
Rasoio(oi) elettrico(ci): barbeador(es) elétrico(s)
Rasoio(oi): barbeador(es)
Reception: recepção
Reclamo(i): reclamação(ões)
Regalo(i): presente(s)
Regina(e): rainha(s)
Regione(i): região(ões)
Religione(i): religião(ões)
Resort: resort
Resto(i): troco(s)
Ricamo(i) (subst.) : bordado(s)
Ricamato(a)/(i)/(e) (adj.): bordado(a)/(os)/(as)
Ricetta(e) culinaria(e): receita(s) culinária(s)
Ricetta(e) medica(che): receita(s) médica(s)
Ricevuta(e): recibo(s)
Ridere: rir
Rifiutare: recusar
Rimanere: ficar
Rimborso(i): reembolso(s)
Rimorchiare: guinchar, rebocar
Riparare: consertar (algo)
Riparo(i): conserto(s) (de algo)
Riposare: descansar
Riscaldamento(i) centrale(i): aquecimento(s) central(is), calefação(ões) central(is)

Riscaldamento(i): aquecimento(s)

Riscuotere (un assegno): descontar (cheques)

Ritardo(i): atraso(s)

Rivista(e): revista(s)

Rossetto(i): batom(ns)

Rosso(a)/(i)/(e): vermelho(a)/(os)/(as)

Roulotte: trailer

Rubare: roubar

Rubato(a)/(i)/(e): roubado(a)/(os)/(as)

Rubinetto(i): torneira(s)

Rumoroso(a)/(i)/(e): barulhento (a)/(os)/(as)

Ruota(e) di scorta: estepe(s)

(pneu sobressalente)

Ruscello(i): riacho(s)

S

Sabato: sábado

Sacchetto(i) di plastica: saco(s) plástico(s)

Sacco(chi) a pelo: colchão(ões) de dormir

Sacco(chi) a pelo: saco(s) de dormir

Sacco(chi): saco(s)

Sala(e) d'aspetto: sala(s) de espera

Sala(e) da gioco: salão(ões) de jogos

Sala(e) di imbarco: sala(s) de embarque

Salute: saúde

Saluti: saudações

Sandwich: sanduíche

Sanguinare: sangrar

Sapere: saber

Saponetta(e): sabonete(s)

Sauna(e): sauna(s)

Sbagliato(a)/(i)/(e): errado(a)/(os)/(as)

Sbornia(e): ressaca(s)

Scacchi: xadrez (jogo)

Scala(e): escada(s)

Scala(e) di emergenza: escada(s) de emergência (do lado de fora do prédio)

Scala(e) mobile(i): escada(s) rolante(s)

Scarafaggio(gi): barata(s)

Scattare foto: tirar fotografias

Scegliere: escolher

Scendere: descer

Scheda(e): ficha(s)

Sci d'acqua: esqui aquático

Sci: esqui

Sciare: esquiar

Sciroppo(i): xarope(s)

Scivoloso(a)/(i)/(e): escorregadio(a)/(os)/(as)

Scongelare: descongelar

Sconto(i): desconto(s)

Scrivere: escrever

Scusa(e): desculpa(s)

Secondo(i) piatto(i): segundo(s) prato(s)

Sedersi: sentar

Sedia(e): cadeira(s)

Sedia(e) a rotelle: cadeira(s) de rodas

Sedia(e) a sdraio: espreguiçadeira(s)

Segnale(i): placa(s)

Segreteria(e) telefonica: secretária(s) eletrônica(s)

Semaforo(i): semáforo(s)

Sempre: sempre

Sentire: ouvir

Senza: sem

Separato(a)/(i)/(e): separado(s)/(os)/(as) (independentes)

Serratura(e): fechadura(s)

Servizi: banheiro (em restaurante, aeroporto, cinema etc.)

Servizio(zi) di pulizia: serviço(s) de limpeza

Servizio(zi) in camera: serviço(s) de quarto

Servizio(zi) posteggiatore: serviço(s) de manobrista

Servizio(zi) sveglia: serviço(s) de despertador

Seta: seda

Settembre: setembro

Settimana(e): semana(s)

Sfondare: arrombar

Sgarbato (a)/(i)/(e): mal-educado(a)/(os)/(as)

Sgradevole(i): desagradável(is)

Shampoo: xampu

Sicurezza: segurança

Sicuro(a)/(i)/(e): seguro(a)/(os)/(as) (adj.)

Sigaro(i): charuto(s)

Silenzio: silêncio

Silenzioso(a)/(i)/(e): silencioso(a)/(os)/(as)

Sinagoga(ghe): sinagoga(s)

Sinistra(e): esquerda(s)

Sito(i) internet: site(s) na internet

Smalto(i): esmalte(s)

Smarrito(a)/(i)/(e): perdido(a)/(os)/(as) (adj)

Smettere: parar (de fazer alguma coisa)

Smoking: smoking

Soccorso: socorro

Società di assicurazione: seguradora

Soggiorno(i): estadia(s)

Soldi: dinheiro

Soleggiato(a)/(i)/(e): ensolarado(a)/(os)/(as)

Solito(a)/(i)/(e): mesmo(a)/(os)/(as) (adj.)

Solo(a)/(i)/(e): sozinho(a)/(os)/(as)

Soprintendere: supervisionar

Sottotitoli: legendas (filme)

Souvenir: suvenir (lembrança, recordação)

Spazzola(e) da capelli: escova(s) de cabelo

Spazzola(e): escova(s)

Spazzolino(i) da denti: escova(s) de dente

Specchio(chi): espelho(s)

Spedire: enviar

Spedire le valigie: despachar as malas

Spegnere (luz, TV, rádio, ar-condicionado etc.): desligar

Spendere: gastar (dinheiro)

Spettacolo(i): espetáculo(s)

Spiaggia(e): praia(s)

Spiccioli: trocados

Sporco(a)/(chi)/(che): sujo(a)/(os)/(as)

Sport: esporte

Sposato(a)/(i)/(e): casado(a)/(os)/(as)

Spugna(e): esponja(s)

Spuntino(i): lanche(s)

Squisito(a)/(i)/(e): delicioso(a)/(os)/(as)
Stadio(di): estádio(s)
Stampelle: muletas
Statua(e): estátua(s)
Stazione(i) ferroviaria(e): estação(ões) ferroviária(s)
Stesso(a)/(i)/(e): mesmo(a)/(os)/(as) (adj.)
Stirare: passar a ferro
Stracolmo(a)/(i)/(e): lotado(a)/(os)/(as), cheio(a)/(os)/(as)
Straccio(ci): pano(s) de limpeza
Strada(e): estrada(s)
Strano(a)/(i)/(e): estranho (a)/(os)/(as) (adj.)
Stretto(a)/(i)/(e): apertado(a)/(os)/(as) (roupas)
Striscia(ie) pedonale(i): faixa(s) de pedestre
Studente(i): estudante(s)
Studiare: estudar
Stufa(e): aquecedor
Stuzzicadenti: palito de dente
Subito: logo
Succedere: acontecer
Sud: sul
Suggerire: sugerir
Supermercato(i): supermercado(s)
Sveglia(e): despertador(es)
Svegliarsi: acordar, despertar
Svendita(e): liquidação(ões)
Svenire: desmaiar

T

Taglia(e): tamanho(s)
Tagliare: cortar
Taglio(gli): corte(s)
Taglio(gli) di capelli: corte(s) de cabelo
Tanti auguri: feliz aniversário
Tassa(e): imposto(s), taxa(s)
Tassì: táxi
Tasso(i) di cambio: taxa(s) de câmbio
Tavolo(i): mesa(s)
Taxi: táxi
Tazza(e): xícara(s)
Teatro(i): teatro(s)
Telefonare: telefonar
Telefonista(e): telefonista(s)
Telefono(i) cellulare(i): telefone(s) celular(es)
Telefono(i) pubblico(i): telefone(s) público(s)
Telefono(i): telefone(s)
Televisore(i), TV: televisão(ões)
Temperatura(e): temperatura(s)
Tempo libero: tempo livre
Tempo: tempo (clima)
Tenda(e): barraca(s), cortina(s)
Termometro(i): termômetro(s)
Termosifone(i): aquecedor(es)
Tessuto(i): tecido(s)
Tetto(i) apribile(i): teto(s) solar(es)
Tinta unita: liso(a) (sem estampa)
Tirare lo sciacquone: dar descarga
Toilette: banheiro, toalete (em restaurante, aeroporto, cinema etc.)
Torcia(ie): lanterna(s)
Tostapane(i): torradeira(s)
Tovaglia(ie): toalha(s) de mesa
Tovagliolo(i): guardanapo(s)
Tovagliolo(i) di carta: guardanapo(s) de papel

Tradurre: traduzir
Traduzione(i): tradução(ões)
Traffico: tráfego
Traghetto(i): balsa(s)
Tram: bonde
Tramonto(i): pôr(es) do sol
Trascorrere le vacanze: passar férias
Traversata(e): travessia(s)
Treno(i): trem(ns)
Troppo (adv): demais
Troppo(a)/(i)/(e): muito(a)/(os)/(as)
Trovare: achar, encontrar
Trucco(chi): maquiagem(ns)
Tuffarsi: mergulhar (saltar)
Tunnel: túnel
Turista(e): turista(s)
Tuta subacquea: roupa(s) de mergulho

U

Uccello(i): pássaro(s)
Udire: ouvir
Ufficio(ci) informazioni: balcão(ões) de informações
Ufficio(ci) postale: agência(s) dos correios
Ufficio(ci): escritório(s)
Ultimo(a)/(i)/(e): último(a)/(os)/(as)
Umido(a)/(i)/(e): úmido(a)/(os)/(as)
Una notte: diária de hotel (um pernoite)
Uniforme(i): uniforme(s)
Unità: unidade
Unità monetaria: unidade monetária
Usare: usar
Uscire: sair
Uscita(e): saída(s)
Uscita(e) di emergenza: saída(s) de emergência
Utile(i): útil(eis)

V

Vacanze: férias
Valido(a)/(i)/(e): válido(a)/(os)/(as)
Valigia(gi) a mano: maleta(s) de mão
Valigia(gi): mala(s)
Valore(i): valor(es)
Vantaggioso(a)/(i)/(e): barato(a)/(os)/(as)
Vasca(che) da bagno: banheira(s)
Vassoio(oi): bandeja(s)
Vecchio(a)/(chi)/(chie): velho(a)/(os)/(as)
Vedere: ver
Vegetariano(a)/(i)/(e): vegetariano(a)/(os)/(as)
Veleno(i): veneno(s)
Velenoso(a)/(i)/(e): venenoso(a)/(os)/(as)
Veliero(i): veleiro(s)
Veloce(i): rápido(a)/(os)/(as)
Venerdì: sexta-feira
Ventilatore(i): ventilador(es)
Veranda(e): varanda(s)
Verde: verde
Vero(a)/(i)/(e): verdadeiro(a)/(os)/(as)
Vespa(e): vespa(s)
Vestito(i): vestido(s)
Via(e) a doppio senso: rua(s) de mão dupla

Via(e) a senso unico: rua(s) de mão única

Via(e) principale: rua(s) principal

Viaggiare: viajar

Viaggiare per affari/per lavoro: viajar a negócios

Viaggio(gi): viagem(ns)

Viaggio(gi) d'affari: viagem(ns) de negócios

Viaggio(gi) di vacanza: viagem(ns) de férias

Vicino(i): perto

Vicolo(i) cieco(chi): rua(s) sem saída

Vigili del fuoco: bombeiros

Villaggio(gi) turistico(i): resort

Villeggiare: passar férias

Vino(i): vinho(s)

Vino(i) bianco(chi): vinho(s) branco(s)

Vino(i) rosso(i): vinho(s) tinto(s)

Viola: roxo(a)/(os)/(as)

Visitare: visitar

Visto(i) di entrata: visto(s) de entrada

Volantino(i): panfleto(s), volante(s)

Volo(i): voo(s)

Volo(i) charter: voo(s) fretado(s)

Volo(i) di coincidenza: voo(s) de conexão

Volo(i) senza scalo: voo(s) sem escalas

Voltaggio(gi): voltagem(ens)

Vomitare: vomitar

Voucher: comprovante de reserva de estadia, voucher

Vuoto(a)/(i)/(e): vazio(a)/(os)/(as)

W

Windsurfing: windsurfe

Y

Yacht: iate

Z

Zaino(i): mochila(s)

Zona(e) non fumatori: área(s) para não fumantes

Zoo: zoológico

Zucchero: açúcar

Mapa e Bandeira

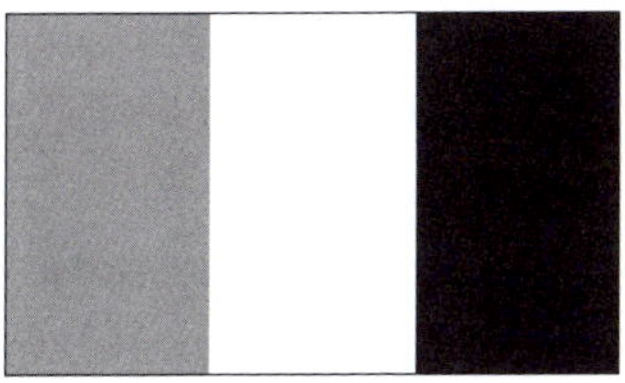

Guia do Áudio

Traccia 1: I primi approcci

Traccia 2: Aereo & altri mezzi di trasporto

Traccia 5: Attrazioni turistiche, svago & divertimento

Traccia 6: Fare acquisti

Traccia 7: Salute & urgenze

Como acessar o áudio

Todo o conteúdo em áudio referente a este livro, você poderá encontrar em qualquer uma das seguintes plataformas:

Spotify

DEEZER

Ao acessar qualquer uma dessas plataformas, será necessário a criação de uma conta de acesso (poderá ser a versão gratuita). Após, pesquise pelo título completo do livro, ou pelo autor ou ainda por **Disal Editora**, localize o álbum ou a playlist e você terá todas as faixas de áudio mencionadas no livro.
Para qualquer dúvida, entre em contato com **marketing@disaleditora.com.br**

IMPORTANTE:
Caso você venha a encontrar ao longo do livro citações ou referências a CDs, entenda como o áudio acima indicado.

Este livro foi composto na fonte Whitney e
impresso em março de 2025 pela Paym Gráfica Editora Ltda.,
sobre papel offset 75g/m².